MARGEM ESQUERDA

REVISTA DA BOITEMPO

43 2º SEMESTRE, 2024

BOITEMPO

Margem Esquerda – revista da Boitempo n. 43

Direção-geral
Ivana Jinkings

Editor
Artur Renzo

Assistência editorial
Marcela Sayuri

Editor de imagens
Francisco Klinger Carvalho

Editor de poesia
Flávio Wolf de Aguiar

Preparação
Gabriela Rocha

Revisão
Sílvia Balderama Nara

Capa
Artur Renzo

Imagens da capa e miolo
Yazan Khalili
"The Aliens" (p. 6 e 116), "On Love and Other Landscapes" (capa e dossiê), "Regarding Distance" (internas), "City of Posters" (quarta capa e p. 46) e "The Beautiful Political Landscape" (p. 88 e 159).

Projeto gráfico e diagramação
Antonio Kehl

Coordenação de produção
Juliana Brandt

Assistência de produção
Livia Viganó

Impressão e acabamento
Rettec

ISSN 1678-7684
número 43: setembro de 2024

BOITEMPO
Jinkings Editores Associados Ltda.
Rua Pereira Leite, 373 – Sumarezinho
CEP 05442-000 São Paulo – SP
Tel.: (11) 3875-7250 / 3872-7285
editor@boitempoeditorial.com.br
boitempoeditorial.com.br | blogdaboitempo.com.br
facebook.com/boitempo | twitter.com/editoraboitempo
youtube.com/tvboitempo | instagram.com/boitempo

Sumário

MARGEM ESQUERDA

REVISTA DA BOITEMPO

43 2º SEMESTRE, 2024

contato: *margemesquerda@boitempoeditorial.com.br*

all returns are fictional

Colaboradores desta edição

ALYSSON LEANDRO MASCARO é professor livre-docente da faculdade de direito da USP e autor, entre outros, de *Estado e forma política* (2013), *Crise e golpe* (2018), *Crítica do fascismo* (2022) e *Sociologia do Brasil* (2024), todos pela Boitempo.

ANDERSON DEO é professor livre-docente da Faculdade de Filosofia e Ciências da Unesp/Marília e autor, entre outros, de *O labirinto das ilusões: consolidação e crise da social-democracia tardia brasileira* (Appris, 2021).

ANTONIO CARLOS MAZZEO é livre-docente em teoria política pela Unesp e professor dos programas de pós-graduação em história econômica da FFLCH-USP e em serviço social da PUC-SP. Autor de *Estado e burguesia no Brasil: origens da autocracia burguesa* (Boitempo, 2015), entre outros.

ARLENE CLEMESHA é professora de história árabe contemporânea do departamento de letras orientais da USP, onde dirigiu o Centro de Estudos Árabes. Integrante do conselho diretivo do Common Action Forum, sediado em Madri, é autora, entre outros, de *Marxismo e judaísmo: história de uma relação difícil* (Boitempo, 1998)

BRUNO HUBERMAN é professor de relações internacionais da PUC-SP, onde é vice-líder do Grupo de Estudos de Conflitos Internacionais. Integrante do INCT/Ineu, atualmente desenvolve pesquisa de pós-doutorado pelo Programa San Tiago Dantas e é autor de *Colonização neoliberal de Jerusalém* (Educ, 2023).

DANIELA FERRUGEM é doutora em serviço social pela UFRGS, onde é vice-líder do Aya – grupo de estudo, extensão e pesquisa em serviço social, relações sociais de exploração/opressão de raça/etnia e gênero. Integrante da Associação Brasileira de Pesquisadores Negros, é autora de *Guerra às drogas e manutenção da hierarquia racial* (Letramento, 2019).

FLÁVIA BRAGA VIEIRA é doutora em planejamento urbano e regional pela UFRJ, onde atualmente coordena o programa de extensão universitária Assessoria Técnica e Educacional Meio Ambiente e Barragens (Atemab). Professora da UFRRJ, escreveu *Dos proletários unidos à globalização da esperança* (Alameda, 2010).

FLÁVIO WOLF DE AGUIAR é poeta, escritor e correspondente em Berlim de várias mídias brasileiras, inclusive do *Blog da Boitempo*. É autor, entre outros livros, de *Anita*, ganhador do Prêmio Jabuti de melhor romance em 2000.

FRANCISCO KLINGER CARVALHO é artista plástico e escultor multimídia. Formado em educação artística pela UFPA, com pós-graduação na Kunstakademie Düsseldorf, é atualmente professor de escultura na Kunstakademie Mannheim, na Alemanha.

GUSTAVO RACY é doutor em antropologia pela Universidade da Antuérpia e pesquisador de pós-doutorado na Unifesp. Organizador de *Walter Benjamin está morto* (sobinfluencia, 2020), é pesquisador do Núcleo de Análise de Conjuntura Internacional da PUC-SP e dirige a revista *Al Jaliah*.

Heribaldo Maia é formado em história pela UFPE, colunista do blog *LavraPalavra* e autor de *Neoliberalismo e sofrimento psíquico: o mal-estar nas universidades* (Ruptura, 2022).

Henrique Carneiro é mestre e doutor em história social pela USP, onde atualmente leciona. É autor, entre outros, de *Drogas: a história do proibicionismo* (Autonomia Literária, 2018).

Illan Pappé é historiador e fundador e diretor do Centro Europeu de Estudos Palestinos da Universidade de Exeter, onde atualmente leciona. Nascido em Haifa, em 1954, é autor, entre outros livros, de *Dez mitos sobre Israel* (Tabla, 2022) e *A limpeza étnica da Palestina* (Sundermann, 2012).

Juliana Paula Magalhães é doutora em filosofia e teoria geral do direito pela USP e autora de *Crítica à subjetividade jurídica: reflexões a partir de Michel Villey* (Contracorrente, 2022) e *Marxismo, humanismo e direito: Althusser e Garaudy* (Ideias & Letras, 2018).

Júlio Delmanto é jornalista, mestre e doutor em história social pela USP. Coorganizador de *Dichavando o poder* (Autonomia Literária, 2016), é autor de *Camaradas caretas* (Alameda, 2015) e *História social do LSD no Brasil* (Elefante, 2020).

Leda Paulani é professora titular (sênior) do departamento de economia da FEA-USP, pesquisadora do CNPq e autora de *Modernidade e discurso econômico* (2005) e *Brasil delivery: servidão financeira e estado de emergência econômico* (2008), ambos pela Boitempo.

Luciana Boiteux é doutora em direito pela USP, professora (licenciada) de direito penal na UFRJ e vereadora na cidade do Rio de Janeiro pelo PSOL. Coordenou o trabalho coletivo *Tráfico de drogas e a Constituição Federal* (Ministério da Justiça, 2009).

Luiz Guilherme Osório é formado em comunicação social pela UFRJ e International Business pela UCLA, tendo passado um período pela faculdade de direito da UFJF.

Maria Izabel Lagoa é pedagoga. Doutora em educação pela USP e mestre em ciências sociais pela Unesp.

Pedro Costa é professor do departamento de psicologia clínica da UnB. Mestre e doutor em psicologia pela UFJF, escreveu *Por um (outro) mundo com drogas: questão social e capitalismo* (Usina, 2020).

Samah Jabr é uma psiquiatra e psicoterapeuta palestina. Nascida em Jerusalém Oriental em 1976, é chefe da Unidade de Saúde Mental do Ministério da Saúde da Palestina e professora clínica associada da Universidade George Washington. No Brasil, publicou *Sumud em tempos de genocídio* (Tabla, 2024).

Samuel Kilsztajn é professor titular em economia política da PUC-SP. Autor, entre outros livros, de *Jaffa*.

Soraya Misleh é mestre e doutora em estudos árabes pela USP, diretora cultural do Instituto da Cultura Árabe (ICArabe) e autora de *Al Nakba: um estudo sobre a catástrofe palestina* (Sundermann, 2017). Atualmente, coordena a Frente em Defesa do Povo Palestino SP.

Tariq Ali é jornalista, escritor, historiador, cineasta e ativista político. Nascido em 1943 no Paquistão, atualmente vive na Inglaterra. Pela Boitempo, publicou *O poder das barricadas: uma autobiografia dos anos 1960* (2008), entre outros.

Thiago Rodrigues é doutor em ciência política pela PUC-SP e em relações internacionais pela Sorbonne (Paris III). É professor associado no Instituto de Estudos Estratégicos da UFF, pesquisador da RedeMarx e do PsicoCult (InEAC/UFF). Autor, entre outros, de *Drogas e capitalismo: uma crítica marxista* (Autografia, 2024).

Tithi Bhattacharya é professora associada e diretora de estudos globais na Universidade de Purdue. Autora de *Feminismo para os 99%* (Boitempo, 2019), escrito com Cinzia Arruzza e Nancy Fraser, e *Teoria da reprodução social* (Elefante, 2023), entre outros.

Yazan Khalili é um artista visual e ativista que vive e trabalha entre a Palestina e a Holanda. Formado em arquitetura pela Universidade de Birzeit, na Cisjordânia, com pós-graduação na Universidade de Londres e na Rietveld Academie, em Amsterdã, suas obras foram exibidas em diversas exposições importantes, incluindo a Documenta, de Kassel (2022), o MoMa, de Nova York (2018), e a Bienal de Xangai (2016).

Apresentação

O atual assalto a Gaza é o capítulo mais recente de uma guerra centenária, assimétrica e colonial travada contra o povo palestino. É o que defende Rashid Khalidi na entrevista que abre esta edição. Para ele, é impossível compreender o que ocorre na região desde 1917 sem remeter à participação decisiva do Império Britânico e, depois da Segunda Guerra Mundial, dos Estados Unidos. Contra as explicações hegemônicas que partem do 7 de outubro de 2023 como marco inicial absoluto ou nos remontam a um passado imemorial marcado por um conflito de ordem religiosa ou cultural entre árabes e judeus, Khalidi situa a questão palestina como produto da modernidade – em particular, da incursão imperialista no Oriente Médio e da ascensão dos nacionalismos modernos – e dá uma verdadeira aula sobre a história árabe do século XX à contemporaneidade.

Além de ser resultado dos processos da modernização, Gaza também tem forte poder de revelação sobre esses mesmos processos. Essa inversão, muito familiar à nossa tradição crítica (nascida da apreciação dialética da perversa conjunção entre o moderno e o arcaico na formação social brasileira), é fundamental para analisar o que se passa na Palestina hoje. Afinal, encarar a *periferia como verdade do centro* é também atinar com o sentido do progresso da acumulação capitalista como regresso a modos "bárbaros" de apropriação e violência. Não à toa, a formulação "palestinização do mundo" têm reverberado cada vez mais no debate público. Essa é a perspectiva que anima o dossiê de capa desta *Margem Esquerda*.

O fato de Israel ter um enorme mercado para exportar tecnologia de ocupação, vigilância e gestão militar de populações, por exemplo, diz muito sobre um mundo em estado de desagregação social aguda e crise sistêmica. O antissemitismo, vale lembrar, é essencialmente uma ideologia de crise, e sua exacerbação, para além de sua evidente instrumentalização pelo governo de Israel, não deixa de ser um dado sintomático de nosso tempo. A ausência de visão clara de saída política para a guerra em curso (por parte tanto de Netanyahu quanto do Hamas) pressagia uma alarmante perspectiva de generalização do paradigma bélico como modelo de estabilização da crise. Ao mesmo tempo, a sensibilidade apocalíptica, cada vez mais palpável nas ditas "crises da democracia" mundo afora, parece dominar o horizonte político de expectativas na região[1].

Abrindo o dossiê, Arlene Clemesha apresenta uma informativa historiografia da Nakba e defende que a partir de Gaza o paradigma do genocídio passa a fazer parte da história palestina. Na sequência, a marxista feminista Tithi Bhattacharya faz uma leitura original da reprodução social da vida palestina e explica por que o enclave continua produzindo uma grande quantidade de poetas. Escrevendo da linha de frente em Gaza, a psiquiatra palestina Samah Jabr discute os limites da abordagem ocidental sobre a saúde mental e nos proporciona um valioso vislumbre da vida psíquica do povo palestino. As inflexões nas teorias marxistas do colonialismo e do genocídio são a matéria-prima do ensaio de Bruno Huberman, que busca esquadrinhar as particularidades do projeto sionista em regime de neoliberalismo. Por fim, o historiador israelense Ilan Pappé faz uma radiografia a quente das fissuras abertas no edifício sionista, elencando seis pontos críticos para pensar o futuro de Israel. O artista escolhido para esta edição é o palestino Yazan Khalili, cujo trabalho explora o efeito da distância geográfica em nossa percepção do território e sua "capacidade de aguçar ou suspender nossos vínculos políticos e sentimentais". Fecham o volume os últimos versos de Refaat Alareer, assassinado em dezembro por um bombardeio aéreo israelense no norte de Gaza.

O especial "Drogas e marxismo – uma introdução" oferece um panorama dessa questão ainda tão ignorada nas esquerdas, com reflexões sobre o consumo de álcool na URSS, a crítica marxiana aos manicômios, as experiências de Benjamin com psicotrópicos, a economia política da guerra às drogas e um balanço do atual "debate" sobre a legalização no Brasil. A revista conta, ainda, com três artigos de fôlego: Alysson Mascaro mapeia a estética do muralismo; Flávia Braga Vieira identifica as impressões digitais do capitalismo de desastre na enchente do Rio Grande do Sul; e António José Avelãs Nunes desnuda o imperialismo por trás das políticas de globalização neoliberal. Na seção de homenagens, Leda Paulani escreve sobre o legado de Maria da Conceição Tavares, e Anderson Deo presta tributo a Paulo Barsotti. No fechamento desta revista, perdemos também o economista francês Pierre Salama, especialista em América Latina. A ele, dedicamos esta edição.

Artur Renzo

[1] Talvez ainda espante o senso comum orientalista constatar a linguagem do "milagre" e do "Armagedom" nas palavras sóbrias e esclarecidas de Benny Morris, que não hesita em qualificar "o projeto sionista como um todo" como "apocalíptico". Benny Morris, "On Ethnic Cleansing", *New Left Review*, n. 26, mar.-abr. 2004, p. 50.

Rashid Khalidi

Rashid Ismail Khalidi é um dos mais proeminentes historiadores da Palestina e do Oriente Médio da atualidade. Advindo de uma família notável de Jerusalém, nasceu em Nova York no fatídico 1948 – sua família, assim como centenas de milhares de palestinos expulsos, não pôde retornar à sua terra natal após a Nakba. Filho do escritor e diplomata palestino Ismail Khalidi e sobrinho de Hussein Khalidi, que fora prefeito de Jerusalém (1934-37), seu interesse em história e geopolítica começou em casa. Nas mesas de jantar, era comum o assunto percorrer os bastidores da política internacional. Seu pai trabalhou por uma década e meia na Divisão de Assuntos do Conselho de Segurança da ONU e estava lá durante momentos-chave da política da região, como a Guerra dos Seis Dias, em 1967. "Desde cedo, aprendi a perceber a diferença entre o que sabíamos ser verdade e o que era noticiado"[1], conta.

Depois da morte do pai, em 1968, Khalidi traçou uma trajetória acadêmica prestigiosa. Formou-se em Yale, em 1970, e obteve seu doutorado na Universidade de Oxford, em 1974. Sob orientação de Albert Habib Hourani, apresentou um estudo aprofundado da política britânica no Oriente Médio pré-Primeira Guerra Mundial, analisando os antecedentes do Acordo Sykes-Picot e da Declaração de Balfour. Na sequência, mudou-se para o Líbano, país de sua família materna, e lá, entre 1976 e 1983, lecionou na Universidade Americana de Beirute

[1] Chris Hedges, "Casting Mideast Violence in Another Light" [perfil de Rashid Khalidi na editoria "Public Lives"], *The New York Times*, 20 abr. 2004.

e na Universidade do Líbano, além de ser pesquisador do Institute for Palestine Studies, cofundado em 1963 por seu primo, o renomado historiador Walid Khalidi. Acompanhou em primeira mão as tensas tratativas pela evacuação da OLP de Beirute diante da invasão israelense em 1982[2].

Após o massacre de Sabra e Shatilla e com o acirramento das tensões no país, a família partiu para os Estados Unidos com um recém-nascido. A previsão era passar um ano fora, mas a guerra civil libanesa se agravou eles nunca voltaram para sua casa em Beirute, onde os três filhos haviam nascido. Khalidi passou dezesseis anos lecionando na Universidade de Chicago, onde também dirigiu o Centro de Estudos Internacionais. Entre 1991 e 1993, aconselhou a delegação palestina nas negociações de paz em Madri e Washington, tema de seu livro *Brokers of Deceit* [Negociadores do engano][3]. Em 2002, passou a editar o *Journal of Palestine Studies* e, no ano seguinte, assumiu a recém-criada cadeira Edward Said de estudos árabes na Universidade de Columbia.

No primeiro semestre de 2024, sua universidade foi palco de uma série de ocupações estudantis contra o massacre patrocinado pelos EUA em Gaza. Em maio, horas depois da tropa de choque invadir um dos prédios ocupados e prender dezenas de estudantes, Khalidi fez um discurso apoiando os manifestantes e condenando a administração universitária. Depois de mais de vinte anos à frente da cátedra, ele se aposentou em junho, desvinculando-se da Columbia.

Nesta edição, a *Margem Esquerda* traz uma densa conversa entre Khalidi e Tariq Ali. Publicada com o título "The Neck and the Sword"[4] [O pescoço e a espada], a entrevista versa sobre a história política e intelectual do movimento nacional palestiniano, suas relações com os regimes árabes vizinhos, as hipocrisias do dito "processo de paz", os vasos comunicantes entre Israel e o complexo industrial-militar estadunidense, as realidades da ocupação e os cálculos (ou erros de cálculo) do Hamas, bem como os desafios e as perspectivas para as próximas décadas.

---

[2] Sobre a experiência, Khalidi escreveu *Under Siege: PLO Decisionmaking During the 1982 War* (Nova York, Columbia University Press, 1985).

[3] Rashid Khalidi, *Brokers of Deceit: How the US Has Undermined Peace in the Middle East* (Boston, Beacon, 2013).

[4] Publicada originalmente em *New Left Review*, n. 147, maio/jun. 2024, p. 5-38, e traduzida aqui por Luiz Guilherme Osório.

Tariq Ali – Comecemos com o presente, não só no sentido dos horrores infligidos à Palestina agora, mas o presente como parte do ainda ativo passado palestino. A brutal repressão anglo-sionista da Grande Revolta Árabe de 1936-39 foi seguida pela Nakba de 1948, a Guerra dos Seis Dias de 1967, o cerco a Beirute de 1982 liderado por Ariel Sharon, os massacres de Sabra e Shatila, as duas Intifadas e a contínua chuva de terror por parte de Israel desde então. Ainda assim, o genocídio do pós-7 de outubro parece ter um impacto global maior que todos esses acontecimentos.

Rashid Khalidi – Sim, alguma coisa mudou em nível global. Não sei por que aqueles episódios históricos não tiveram o efeito de mudar completamente a narrativa – a narrativa popular, em especial. Não quero especular sobre fatores como as mídias sociais. Mas esse tem sido o primeiro genocídio que uma geração testemunha em tempo real, nos seus telefones. Foi o primeiro em tempos recentes em que os Estados Unidos, a Inglaterra e os países ocidentais foram participantes diretos, diferente dos do Sudão e de Mianmar? Será que o trabalho dos militantes pró-Palestina sobre uma ou mais gerações preparou as pessoas para isso? Não sei dizer. Mas você tem razão quando diz que, como resultado dos horrores infligidos a Gaza durante oito meses contínuos, e dos que estão sendo infligidos agora, algo novo aconteceu. O deslocamento de 750 mil pessoas em 1948 não teve o mesmo impacto. A Revolta Árabe de 1936-39 foi quase completamente esquecida. Nenhum desses eventos prévios teve um efeito parecido com esse.

A Revolta Árabe foi uma tentativa sem precedentes de derrubar o domínio colonial no entreguerras. É uma página esquecida da história da Palestina. Sua derrota criou um legado pesado, que afetou os palestinos por décadas.

TA – A Revolta Árabe sempre me fascinou como um dos maiores episódios da luta anticolonial, que recebeu muito menos atenção do que merece. Começou como uma greve, depois uma série de greves, até se tornar uma enorme revolta nacional que deixou os ingleses "nas cordas" por três anos. Você poderia nos explicar as origens dela, seu desenvolvimento e consequências?

RK – A Revolta Árabe foi essencialmente uma revolta popular, em escala massiva. A liderança Palestina tradicional foi pega de surpresa, assim como Arafat e as lideranças da Organização para Libertação da Palestina (OLP) foram pegos de surpresa com a Primeira Intifada em 1987. Ambas as insurreições se iniciaram com incidentes menores; no caso da Revolta Árabe, foi a morte em batalha do xeque 'Izz al-Din al-Qassam em novembro de 1935, por forças britânicas. Nascido em 1882 em Jableh, na costa da Síria, al-Qassam foi um intelectual religioso, treinado em Al-Azhar e militante anti-imperialista que lutou contra as forças ocidentais na região, começando com os italianos na Líbia, em 1911, depois as forças francesas na Síria, em 1919-20. Ele se instalou na Palestina controlada pelos britânicos, onde viveu e trabalhou principalmente entre os camponeses e os pobres urbanos. O assassinato de al-Qassam teve uma amplitude enorme; dentro de alguns meses tinha ajudado a detonar a mais longa greve geral do entreguerras na história colonial. O melhor relato dessa história é de Ghassan Kanafani, o grande escritor palestino assassinado pelos israelenses em 1972; era para ser o primeiro capítulo de sua obra sobre a luta palestina, inacabada quando de sua morte[5].

A análise de Kanafani se sustenta até os dias de hoje. Entre outras coisas, ele salientou o impacto econômico sobre as classes populares do aumento da imigração judaica para a Palestina nos anos 1930, depois que Hitler chegou ao poder; a demissão de trabalhadores árabes de fábricas e obras, conforme a política de "mão de obra exclusivamente judaica", de Ben-Gurion; o despejo de 20 mil famílias camponesas das suas terras, vendidas aos colonos sionistas por donos de terras absenteístas; o aumento da pobreza. Essas revoltas populares eclodem quando as pessoas atingem um ponto em que perceberam que não poderiam mais continuar como antes, e nesse caso a ira social se somou a poderosos sentimentos nacionalistas e religiosos. Os palestinos se impuseram contra todo o poderio do Império Britânico, que em um século e meio não havia sido obrigado a conceder independência a nenhuma colônia, com exceção da Irlanda em 1921. A Revolta Árabe foi esmagada pelo que ainda era o império mais poderoso do mundo, mas os palestinos lutaram por mais de três anos, com cerca de um sexto da população masculina morta, ferida, presa ou exilada. Nos anais do período entreguerras, foi uma tentativa sem precedentes de derrubar o domínio colonial. Só foi suprimida com o envio de 100 mil tropas e a RAF (Força Aérea Britânica). Essa é uma página esquecida da história da Palestina.

TA – Essa derrota não levou também a uma desmoralização no seio das massas palestinas, de modo que, quando a Nakba começou propriamente, em 1947, eles ainda não haviam se recuperado dos horrores de 1936-39?

RK – A derrota da Revolta Árabe criou um legado pesado, que afetou os palestinos por décadas. Como Kanafani escreveu, a Nakba, "o segundo capítulo da derrota – do final de 1947 a meados de 1948 –, foi notável por sua brevidade: era apenas o epílogo de um capítulo longo e sangrento

[5] Ghassan Kanafani, *A revolução palestina de 1936 a 1939: antecedentes, detalhes e análise* (trad. Letícia Bergamini Souto, São Paulo, Expressão Popular, 2024)

ocorrido entre abril de 1936 e setembro de 1939"[6]. O que os britânicos fizeram foi depois copiado em quase todos os detalhes pelos líderes sionistas de Ben-Gurion em diante. Só por isso já vale a pena recordar o custo para a sociedade palestina. Pelo menos 2 mil casas foram explodidas, plantações foram destruídas e centenas de rebeldes foram fuzilados por portarem armas de fogo. Tudo isso acompanhado de toques de recolher, detenção sem julgamento, exílio interno, tortura, práticas como amarrar os habitantes dos vilarejos na frente das máquinas a vapor, como escudos contra os ataques de combatentes da liberdade. Em uma população árabe de cerca de 1 milhão de pessoas, 5 mil foram assassinados, mais de 10 mil, feridos, e mais de 5 mil presos políticos foram deixados apodrecendo em prisões coloniais.

TA – No processo de aniquilação da Revolta Árabe os britânicos deram um valioso treinamento em contrainsurgência às forças sionistas que estavam trabalhando com eles.

RK – Sim. Especialistas em contrainsurgência, como Orde Wingate e outros *experts* em tortura e assassinato, ensinaram aos sionistas todas as suas técnicas coloniais sujas. Os britânicos trouxeram veteranos da Índia, como Charles Tegart, o notório chefe de polícia de Calcutá, alvo de seis tentativas de assassinato por nacionalistas indianos. As mesmas fortalezas e campos de prisioneiros construídos por Tegart estão ainda em uso por Israel nos dias de hoje. Eles trouxeram gente da Irlanda e de outras partes do império, como o Sudão, onde Wingate começou, e onde o primo do seu pai, Reginald Wingate, fora governador-geral e oficial de inteligência antes disso.

TA – Orde Wingate, um nome esquecido há muito tempo. Eu duvido que muitos leitores tenham sequer ouvido falar da sua figura doentia, de quem [Bernard] Montgomery disse que a melhor coisa que fez foi estar no avião que caiu e o matou em Burma, em 1944. Quem foi ele? Ele tinha algum vínculo especial com as forças sionistas? Me lembro vagamente de uma série da BBC de 1976 em que ele foi retratado como um herói.

RK – Ele era um assassino colonial de sangue frio, que acabou como major-general e foi odiado por muitos do seu próprio lado, como as palavras de Montgomery sugerem; Montgomery também descreveu Wingate como "mentalmente desequilibrado". Churchill, que não se fazia de rogado quando o assunto era infligir sofrimento a populações submetidas, chamou Wingate de "louco demais para comandar". Ele nasceu na Índia britânica, em uma família religiosa da igreja Plymouth Brethren. Cristão fundamentalista e literalista bíblico, ele promovia a versão do Velho Testamento de uma redenção judaica. Chegou na Palestina como capitão na inteligência

[6] Ibidem, p. 115.

> O que antes fora uma especialidade colonial britânica se transformou em uma especialidade colonial israelense. Tudo que os israelenses fizeram, eles aprenderam dos ingleses.

O que antes fora uma especialidade colonial britânica se transformou em uma especialidade colonial israelense. Tudo que os israelenses fizeram, eles aprenderam dos ingleses.

militar, justamente quando a revolta de 1936 estava começando. Sabia árabe, aprendeu hebraico e se tornou figura-chave do treinamento de integrantes do Haganá como "Esquadrões Especiais Noturnos" – em outras palavras, esquadrões da morte –, que localizavam e matavam habitantes dos vilarejos palestinos nas montanhas, assim como os grupos de militares e colonos israelenses fazem hoje. Sua notoriedade era tamanha que, quando explodiu a guerra europeia de 1939, figuras árabes proeminentes demandaram que Wingate fosse expulso da região. Ele foi. Seu passaporte foi carimbado proibindo seu retorno. Seu trabalho estava feito. Ele treinou muitos dos homens que se tornaram comandantes do Palmach e mais tarde do Exército israelense, como Moshe Dayan e Yigal Allon. Vários lugares em Israel carregam seu nome, e ele é corretamente considerado o fundador da doutrina militar israelense.

TA – Ele os ensinou bem.

RK – Sim. O que antes fora uma especialidade colonial britânica se transformou em uma especialidade colonial israelense. Tudo que os israelenses fizeram, eles aprenderam dos britânicos – incluindo as leis, as regulações emergenciais de defesa de 1945, por exemplo, que os britânicos usaram contra a Irgun. As mesmas leis estão ainda vigentes, agora usadas contra os palestinos. Tudo isso veio do manual colonial dos britânicos.

TA – Uma vitória – ou mesmo um empate – da Revolta Árabe teria estabelecido as bases de uma identidade nacional palestina e aumentado sua força para as batalhas que viriam. Assim como [Ghassan] Kanafani, você argumentou que as vacilações da liderança tradicional palestina tiveram um papel-chave na derrota, curvando-se, como fizeram – na Conferência de Saint James, por exemplo – aos reis árabes, que haviam sido colocados em seus tronos pelos britânicos...

RK – Assim como agora, a liderança palestina estava dividida. Eles estavam estorvados por sua própria incapacidade de chegar a um acordo sobre uma estratégia apropriada para mobilizar a população e criar um fórum de representatividade nacional, uma assembleia popular em que esses assuntos poderiam ser discutidos. Diferentemente do que ocorreu na Índia, no Iraque e em outras partes da África, os britânicos negaram aos palestinos qualquer acesso ao Estado colonial. Então o argumento em defesa de uma assembleia popular para romper decisivamente com as estruturas do controle colonial era muito importante.

TA – Outra condição de fundo para a Revolta foi a emergência do fascismo na Europa.

RK – A partir do momento em que os nazistas tomaram o poder, toda a situação mudou para os judeus no seu relacionamento com o mundo e com o sionismo. O que é totalmente compreensível. Isso produziu mudanças na Palestina também: entre 1932 e 1939, a proporção de judeus na população cresceu de 16% ou 17% para 31%. De repente os sionistas tinham uma base demográfica viável para tomar a Palestina, o que não tinham em 1932.

Os palestinos estão pagando por toda a história europeia de ódio aos judeus, desde os tempos medievais.

TA – Os palestinos se tornaram vítimas indiretas do judeocídio europeu.

RK – Absolutamente. Os palestinos estão pagando por toda a história europeia de ódio aos judeus, desde os tempos medievais. Eduardo I expulsou os judeus da Inglaterra em 1290, os franceses os expulsaram no século seguinte, os éditos espanhóis e portugueses, nos anos 1490, os *pogroms* russos de 1880 e, por fim, o genocídio nazista. Historicamente, esse é um fenômeno quintessencial da cristandade europeia.

TA – E se não tivesse havido um judeocídio na Europa e a Alemanha fascista tivesse sido somente fascista, sem a obsessão de exterminar os judeus?

RK – Esse é um grande "e se...". Mas olhe para a situação em 1939. Já havia um forte projeto sionista, com apoio imperial britânico, por razões que nada tinham a ver com judeus e sionismo. Tinha a ver com interesses estratégicos. A Declaração de Balfour foi feita pelo homem responsável por emplacar a lei mais antissemita da história do Parlamento britânico, o Aliens Act de 1905. A classe dominante britânica não se importava com os judeus *per se*. Talvez se importassem com a leitura que faziam da Bíblia, mas eles se interessavam sobretudo pela importância estratégica da Palestina e do Oriente Médio, como porta de entrada para a Índia, muito antes de 1917. Esse era o interesse deles, do início ao fim. Quando foram forçados a sair, em 1948, eles o fizeram porque já tinham desistido da Índia em 1947, e já não precisavam mais da Palestina da mesma maneira. Mesmo que Hitler tivesse sido assassinado, haveria um projeto sionista, com apoio imperial britânico. Ainda assim o sionismo teria tentado tomar a totalidade do território palestino, que sempre foi seu objetivo, e ainda assim teria tentado criar uma maioria judia através de limpeza étnica e imigração. Eu não poderia especular mais do que isso.

TA – Mas não havia também correntes antissionistas dentro das comunidades judaicas?

> **O antissionismo era um projeto judeu. Antes da ascensão de Hitler, os sionistas eram uma minoria altamente contestada nas comunidades judaicas. Havia judeus comunistas, judeus assimilacionistas.**

RK – Certamente. Havia judeus comunistas, judeus assimilacionistas. A grande maioria das populações judaicas perseguidas do Leste Europeu decidiu emigrar para colônias de povoamento branco: África do Sul, Austrália, Canadá, Nova Zelândia e, acima de tudo, Estados Unidos; alguns também foram para a Argentina e outros países latino-americanos. Essa é a maioria [dos países] para onde a maior parte da população judaica do mundo foi, além daqueles que ficaram na Europa. O antissionismo era um projeto judeu. Antes da ascensão de Hitler, os sionistas eram uma minoria, e seu projeto era altamente contestado nas comunidades judaicas. Mas o Holocausto produziu um tipo de uniformidade compreensível no apoio ao sionismo.

TA – Derrotas costumam ter o efeito de parar tudo por um tempo; aí a resistência ressurge, de diferentes formas. No caso de 1936-39, contudo, imediatamente depois da derrota, eclodiu a Segunda Guerra Mundial – que começou na China, apesar de muitos a chamarem de uma guerra europeia. Qual foi a atitude da liderança palestina nesse momento? Na Indonésia, na Malásia, na Índia e em partes do Oriente Médio alguns grupos de movimentos nacionalistas disseram: o inimigo do nosso inimigo é nosso amigo, ainda que temporariamente. Sendo o nosso inimigo o Império Britânico, isso significa alemães e japoneses. Em seu livro sobre o Egito, Anouar Abdel-Malek escreve que, quando parecia que [Erwin] Rommel iria tomar o país, multidões se reuniram nas ruas de Alexandria, gritando: "Adiante, Rommel, adiante!". Queriam qualquer um, menos a Inglaterra. Qual foi a reação na Palestina?

RK – A reação na Palestina foi altamente dividida. A facção minoritária da liderança se alinhou com os alemães, seguindo o Grande Mufti. Ele tinha uma extraordinária carreira militar: os franceses o expulsaram de Beirute, os ingleses o enxotaram do Iraque, quando reocuparam o país em 1941, e depois o expulsaram do Irã. Ele tentou ir para a Turquia, mas os turcos não o deixaram ficar, então ele acabou em Roma, e depois em Berlim. Mas a maioria dos palestinos não adotou essa linha. Muitos se uniram ao Exército britânico para lutar com as Forças Aliadas. Claro que muitos líderes foram mortos pelos britânicos, tanto no campo de batalha quanto executados. Outros foram exilados. Os ingleses adoravam exilar seus oponentes nacionalistas nas ilhas sob seu protetorado: Malta, Seychelles, Sri Lanka e as Ilhas Andamão. Meu tio foi mandado para as ilhas Seychelles por alguns anos, junto com outros líderes palestinos, e depois exilado em Beirute por outros tantos anos. A liderança, via de regra, entendia que a Inglaterra nunca poderia ser uma nação amiga. Dá para ler isso nas memórias do meu tio – ele se tornou virulentamente antibritânico. Ele fora sempre nacionalista e antibritânico, mas a Revolta [Árabe] mudou de maneira extraordinária a visão dos palestinos. Antes, a liderança tentava sempre se conciliar com os britânicos, nos moldes de várias elites coloniais cooptadas. Isso mudou com a aniquilação da Revolta.

Em última análise, a derrota da Revolta e depois a Segunda Guerra Mundial deixaram os palestinos mal-preparados para o que viria depois, quando duas novas superpotências – Estados Unidos e União Soviética – apoiaram o sionismo, enquanto os britânicos colaboraram *in loco* com os sionistas e os jordanianos para prevenir o estabelecimento de um Estado palestino naquele território. Os palestinos não estavam suficientemente organizados para enfrentar o assalto dos militares sionistas, que começou em novembro de 1947, meses antes do fim do Mandato Britânico, em 15 de maio de 1948, quando a repartição da ONU entraria em vigor, e os exércitos árabes entraram na briga. Àquela altura, as forças sionistas tinham tomado Jaffa, Haifa, Tiberias, Safad e uma dúzia de outros vilarejos, expulsando cerca de 350 mil palestinos, e já haviam superado em muito o que havia sido designado como Estado Árabe no Plano de Repartição da ONU. Ou seja, os palestinos já haviam perdido antes mesmo da proclamação do Estado de Israel e da deflagração da guerra árabe-israelense.

De firme potência antinacionalista e antissionista, a URSS subitamente se transformou em uma defensora de Israel. Foi um choque enorme para os partidos comunistas do mundo árabe.

TA – Vamos chegar ao papel dos Estados Unidos em tudo isso. Mas como você explica o apoio da União Soviética aos sionistas, fornecendo armas tchecas para que eles continuassem na luta?

RK – Stálin deu uma guinada repentina, como você sabe. De uma firme potência antinacionalista e antissionista, a União Soviética subitamente se transformou em uma defensora de um Estado judeu. Isso foi um choque enorme para os partidos comunistas do mundo árabe. Havia várias motivações, penso eu. Foi por certo uma tentativa de cobrir o lance dos Estados Unidos, e havia uma sensação de que talvez Israel pudesse ser um país socialista a se alinhar à União Soviética. Stálin também queria minar o poderio britânico no Oriente Médio. Lembre-se de que ele havia passado sua juventude lutando no sul do que mais tarde seria a União Soviética, durante a Guerra Civil Russa, quando os britânicos foram os maiores apoiadores do Exército Branco – os financiando, armando e treinando. Eles os apoiaram com tropas e armadas do mar Báltico ao mar Cáspio e ao mar Negro. Stálin tinha desde cedo desenvolvido uma animosidade em relação aos britânicos e uma obsessão com a ameaça que eles representavam no sul da União Soviética. Ele agora via esse momento como uma oportunidade para minar os regimes árabes marionetes dos britânicos na região.

TA – Foi uma intervenção política desastrosa. Mas não durou muito.

RK – Alguns anos. Mas sim, totalmente. Se você olhar a votação na Assembleia Geral da ONU, sem a União Soviética e seus anexos Ucrânia e Bielorrússia, assim como os países que eles influenciavam, os estadunidenses teriam dificuldade em impor a resolução de repartição. Talvez eles o fizessem, mas o resultado poderia ter sido outro. E o acordo de armamentos tcheco foi crucial para as vitórias de Israel contra os exércitos árabes no campo de batalha.

TA – Isso nos traz às elites árabes – as monarquias e califados instalados pela Inglaterra depois do colapso dos otomanos –, sua colaboração com os britânicos e seu fracasso em ajudar a derrotar essa entidade que foi criada pelo Império Britânico.

RK – As monarquias do Egito, da Jordânia e do Iraque tiveram o papel mais importante aqui. Elas estavam sujeitas a pressões opostas, de cima e de baixo. Por um lado, os britânicos não tinham a menor vontade de ver um Estado palestino. Eles ainda mantinham uma enorme hostilidade contra os palestinos, ainda que também tenham se tornado hostis aos sionistas, por causa da campanha sangrenta levantada contra eles pela Irgun, a Gangue Stern e a Haganá, no final da Segunda Guerra Mundial. A Inglaterra se absteve na votação da ONU sobre a repartição. Um Estado judeu seria estabelecido e nada poderia ser feito para evitar isso. Mas eles esperavam manter o equilíbrio de poderes através dos regimes clientes e manter influência em parte da Palestina através do emir Abdullah, da Transjordânia, cujo Exército era comandado por oficiais britânicos.

Por outro lado, havia uma pressão por parte da opinião pública. O mundo árabe havia muito se preocupava com o sionismo. Quando eu estava pesquisando sobre esse assunto, descobri inúmeros artigos antigos de jornal sobre a Palestina, em publicações de Istambul, Damasco, Cairo e Beirute. Havia voluntários da Síria e Egito lutando na Palestina durante a Revolta Árabe. Então esses regimes vizinhos estavam sob pressão popular para fazer alguma coisa sobre a catástrofe que estava se desenvolvendo em 1947-48, com os sionistas em clara vantagem, e os refugiados destituídos chegando às capitais árabes. Os britânicos queriam que os jordanianos invadissem a região para anexar a Cisjordânia e Jerusalém Oriental. O Egito e os demais países árabes foram forçados a intervir por conta da pressão popular. Mas o fizeram de maneira pouco incisiva e somente depois que os britânicos haviam abandonado o local.

Isso teve um enorme efeito de radicalização no jovem oficialato envolvido, incluindo Abdel Nasser. Nas suas memórias, ele escreve algo como: 'não nos foram dados os meios com os quais lutar, mas à medida que lutávamos contra os israelenses, pensávamos na monarquia corrupta controlada pelos britânicos em casa'. Junto com outros dois colegas próximos do grupo nacionalista Free Officers, Nasser foi lotado em Gaza e Rafah, e observou em primeira mão a ira dos soldados rasos contra o Alto Comando no Cairo. Ele cita um soldado que ficava repetindo a cada ordem sem sentido: "Vergonha, vergonha", na entonação prolongada e sarcástica do egípcio do interior[7]. A guerra aumentou a popularidade dos Free Officers e, em última instância, levou à queda da monarquia em 1952. O mesmo aconteceu com os iraquianos e os sírios. Praticamente assim que a guerra acabou, ocorreram uma série de golpes na Síria, seguidos pela revolução de 1952 no Egito, e no Iraque em 1958. Todos os oficiais militares envolvidos haviam lutado na Palestina.

TA – Então a Palestina foi repartida, mas não de acordo com o plano negociado pelas Nações Unidas?

RK – Ben-Gurion e a liderança sionista queriam tomar tudo, mas eles não tinham os meios necessários na época. Então eles se conformaram com 78%.

TA – E existe uma guerra semicontínua desde então. A primeira onda de refugiados chegou a Gaza depois da Nakba em 1948. Muitos eram nossos amigos. Eles nunca tinham vivido em Gaza antes.

RK – Oitenta por cento da população do que é hoje a Faixa de Gaza é de refugiados, muitos dos quais chegaram em 1948. Há populações do Neguev e outras áreas que foram expulsas mesmo depois. Mas 80% da população de Gaza veio originalmente de outro lugar.

TA – Assim como boa parte da minha geração, eu só entendi a extensão da Nakba em 1967, depois da Guerra dos Seis Dias. Fui enviado pela Bertrand Russell Peace Foundation, que queria que nós produzíssemos um dossiê investigativo – como havíamos feito no Vietnã para o Tribunal Internacional de Crimes de Guerra que Russel e Sartre haviam convocado. Nessa viagem, conheci seu primo, Walid, na casa dele em Beirute. Nunca

[7] "Nasser's Memoirs of the First Palestine War", traduzido para o inglês por Walid Khalidi para a edição do *Journal of Palestine Studies* publicada no inverno de 1973, é um relato fascinante do caos e da falta deliberada de planejamento do corrupto Alto Comando no Cairo.

vou esquecer desse encontro. Ele se sentou comigo e Ele me contou sobre o massacre de Deir Yassin em abril de 1948. Meus olhos saltaram das órbitas. Eu não podia acreditar que não sabia.

RK – Você lembra quando foi isso?

TA – Cerca de um mês depois da guerra de 1967. Nos encontramos com refugiados nos campos da Jordânia, nos arredores de Damasco, no Egito, assim como com políticos e intelectuais. Ironicamente, nosso tradutor era um inglês muçulmano, Faris Glubb, cujo pai havia sido comandante-chefe do Exército da Transjordânia. Faris era um ferrenho apoiador da causa palestina. Walid ficou muito intrigado com esse fato. Ele foi o primeiro a me dar uma verdadeira aula sobre a história da Palestina.

RK – Ele é muito bom nisso. Completa 99 anos em julho, *inshallah*.

TA – Eu nunca vou me esquecer daquela tarde em Beirute. E se pessoas como eu, que cresceram em uma família de esquerda, pró-árabe, pró-Nasser, não sabiam sobre a Nakba naquele momento, então imagine o número enorme de pessoas que não tinham nem ideia.

RK – Sem dúvida. Sempre fico impressionado com quão mal os palestinos publicizaram sua causa, começando em 1917 e indo além de 1967. Só na geração atual houve algum tipo de avanço. E isso não veio da liderança política, mas da sociedade civil – organizações como a Campanha Palestina para o Boicote Acadêmico e Cultural de Israel, o grupo chamando por Boicote, Desinvestimento e Sanções (BDS), ou o Instituto para Estudos Palestinos que Walid fundou e que vem fazendo um trabalho há décadas. Finalmente estamos começando a ver os resultados. E isso acontece apesar da ausência de quaisquer esforços oficiais competentes. A OLP deu início a um trabalho informacional e diplomático nos anos 1970 e início dos 1980, mas ainda assim insuficiente. Além disso, o histórico é sombrio.

TA – Como você explica a fraqueza persistente da liderança palestina? Eu entendo que as melhores pessoas foram mortas.

RK – Esse é um primeiro ponto importante. Assassinar líderes palestinos se tornou a especialidade de Israel. Um autor israelense, Ronen Bergman, tem um livro arrepiante chamado *Levante-se e mate primeiro*[8]. O título já diz tudo. Eles foram bem cuidadosos ao escolher aqueles que eles queriam eliminar. Junto com alguns poucos regimes árabes, e isto deve ser dito: os israelenses receberam ajuda de mercenários líbios, iraquianos e sírios. E os israelenses conheciam seus alvos. Quando eles foram assassinar Abu

[8] Ronen Bergman, *Levante-se e mate primeiro: a história do serviço secreto e dos assassinatos seletivos de Israel* (trad. Alessandra Bonrruquer, Rio de Janeiro, Record, 2020).

Jihad em Túnis, passaram em frente à casa de Mahmoud Abbas. Eles não o consideravam um perigo – pelo contrário –, então o mantiveram vivo e o têm usado desde então. Isso também era uma especialidade britânica.

Mas o problema da liderança palestina é mais profundo. Nos anos 1930, esse problema era em parte produto da estrutura de classe palestina – uma elite agrária fora da realidade, com visões ingênuas de como lidar com os britânicos. Desde 1960, a falta de um panorama global por parte das sucessivas gerações de líderes palestinos tem sido o maior problema. Se você olhar para outros movimentos anticoloniais – os irlandeses, os argelinos, os vietnamitas e os indianos –, eles foram liderados por pessoas com um entendimento sofisticado do equilíbrio de poder global, da maneira como as potências imperiais operam, e de como comover a opinião pública da metrópole. [Jawaharlal] Nehru, Michael Collins e [Éamon] de Valera entendiam isso. A liderança argelina entendia a França. O que eles chamavam da sétima *wilaya*, ou província, da Frente de Libertação Nacional (FLN) ficava na França. Os irlandeses ganharam em 1921 porque eles entendiam a política britânica e estadunidense, e tinham extensas operações políticas e de inteligência lá. A liderança palestina nunca teve esse mesmo conhecimento ou habilidades. Eu odeio dizer isso, parece autodepreciativo, mas é verdade.

TA – Como você caracterizaria a liderança palestina do período inicial? Em The Hundred Years' War on Palestine[9]*, você dá uma noção excelente desses clãs palestinos, os Khalidi e os Husseini. O seu [clã] era mais intelectual, mais acadêmico, e os Husseini tendiam a ocupar papéis mais práticos, de liderança. Esse tipo de estrutura de classe era particular da Palestina ou existia também de alguma outra forma em outras partes do mundo árabe?*

RK – O termo usado pelo meu professor Albert Hourani era "notáveis" – a política dos notáveis[10]. Ele falava de famílias mais do que clãs; não se tratava de populações tribais. A mesma estrutura social prevalecia em diversas províncias árabes do Império Otomano; elas eram elites urbanas envolvidas na religião, no direito e no governo; em muitos casos eram também proprietárias de terras e envolvidos no comércio. Esse estrato era bastante apartado das classes populares, desdenhando o trabalho manual e, em muitos casos, o comércio em si. Estiveram ligados à política otomana por séculos e, antes disso, ao Império Mameluco. Membros da minha família estiveram envolvidos com o Judiciário mameluco nos séculos XIV

[9] Ed. bras.: *Palestina: um século de guerra e resistência (1917-2017)* (trad. Rogerio W. Galindo, São Paulo, Todavia, 2024).

[10] Albert Hourani, "Ottoman Reform and the Politics of the Notables", em William Polk e Richard Chambers (orgs.), *Beginnings of Modernization in the Middle East: The Nineteenth Century* (Chicago, University of Chicago Press, 1968), p. 41-68.

e XV. Essa elite se encaixava muito bem no tipo de administração que existia sob os mongóis, os safávidas e os otomanos. Alguns se adaptaram à era moderna. Em vez de receberem treinamento religioso, iam para Malta ou Istambul, ou para instituições missionárias estadunidenses. Adquiriam educação moderna e, em vez de usar turbante ou um fez, vestiam uma cartola. Mas eram extremamente ineptos para lidar com os britânicos.

Essa estrutura social foi completamente destruída em 1948. A base material da classe que dominou a sociedade palestina por séculos desapareceu. Proprietários perderam suas terras, comerciantes perderam seus negócios, e assim por diante. Com raras exceções, nenhuma dessas elites ressurgiu depois de 1948. A sociedade palestina foi essencialmente revolucionalizada, da mesma maneira que muitas outras sociedades árabes foram pelas revoluções sociais – no Iraque, na Síria e no Egito, as elites tradicionais e a classe dos proprietários de terras foram derrubadas nos anos 1950. Dinastias como os Azms de Damasco desapareceram da política. A mesma coisa aconteceu na Palestina por causa da Nakba. Em um sentido, abriu as portas para a classe média instruída. A liderança da OLP não era constituída por pessoas das antigas famílias notáveis. A única exceção que eu posso pensar é Faisal Husseini; ele foi o único líder palestino proeminente depois de 1948 que veio da antiga elite, e era filho de um líder militar de destaque, que foi assassinado em batalha em 1948.

TA – O que aconteceu com a sua família nesse ponto?

RK – A família se espalhou, foi cada um para um canto. Alguns ficaram traumatizados com a experiência e outros galvanizados por ela. Meus avós perderam a casa da família em Tal al-Rish, perto de Jaffa, e se tornaram refugiados. Meus tios, tias e primos ficaram entre Jerusalém, Nablus, Beirute, Amã, Damasco e Alexandria. Por isso tenho primos por todo o mundo árabe e outros na Europa e nos Estados Unidos. No entanto, membros da minha família estão entre os mais sortudos e privilegiados; tiveram uma boa educação graças ao meu avô, e alguns deles tiveram carreiras de professores, como meus primos Walid, Usama e Tarif, ou como escritores e tradutores, como minha tia Anbara e minha prima Randa. Meus pais, que planejavam voltar à Palestina depois que meu pai terminasse seu doutorado em Columbia, terminaram tendo que ficar nos Estados Unidos, e é por isso que eu nasci aqui em Nova York, em 1948. Meu pai então trabalhou para as Nações Unidas.

TA – Onde você estudou?

RK – Frequentei a Escola Internacional da ONU em Nova York, e também estudei na Coreia. Cursei história em Yale e fiz meu doutorado em Oxford com Hourani. Portanto, fui educado em três lugares diferentes.

TA – E em todos esses lugares a Palestina estava ausente.

RK – Sim. Só vivi na Palestina por períodos curtos, um bocado de anos no total. Morei na Líbia por alguns anos enquanto era muito jovem, e vivi no Líbano por mais de quinze anos, nos anos 1970 e 1980, dando aula na Universidade Americana de Beirute. Morei em outros lugares, mas a maior parte da minha juventude e mais da metade da minha vida eu passei nos Estados Unidos.

TA – Voltando às convulsões radicais dos anos 1940: como você estava dizendo, a estrutura de classe mudou por todo o mundo árabe.

RK – Com uma exceção categórica: as monarquias remanescentes. A antiga ordem social não mudou no Marrocos, nem na Jordânia, nem na Arábia Saudita. Pelo menos não mudou da mesma maneira.

TA – Os britânicos mantiveram as monarquias onde eles puderam. Churchill, em particular, as amava e chegou a discutir a possibilidade de criar uma monarquia na província indiana de Punjab.

RK – Os colonialistas britânicos adoravam reproduzir a sua própria aristocracia e o seu próprio sistema. Eles encontrariam uma nobreza agrária em lugares que nunca haviam conhecido tal coisa. Os franceses preferiam repúblicas coloniais.

TA – Outra consequência dessas revoltas de uma classe média radicalizada foi que a pequena burguesia urbana ganhou acesso ao exército, especialmente no Egito, na Síria e no Iraque. Essa foi a base revolucionária dos movimentos nacionalistas – na Índia, o corpo de oficiais nativo era composto por segundogênitos da nobreza agrária. Como essas transformações ocorreram na comunidade palestina, tanto na diáspora quanto no território palestino? Nasser foi um grande herói para a geração pós-Nakba. E ele de fato tentou, para ser justo – não é que ele não tenha tentado. Eu me lembro de dizer isso para um palestino no Egito, que respondeu com uma piada: "Sim, Tariq, ele tentou, mas, você sabe, ele é como um relógio ruim. Um relógio soa tique-taque e anda para frente. Nasser soa 'toque-tique' e anda para trás." Na minha visão, a nova geração de líderes palestinos caiu em si depois da Guerra dos Seis Dias, quando eles reconheceram que nenhum país árabe iria defendê-los e que eles deveriam lutar por si mesmos. O que você diria sobre isso?

RK – Minha visão sobre Nasser seria semelhante; um dos meus antigos alunos me repreendeu um dia por criticá-lo. Mas o ponto a se destacar é que eu não acho que a Palestina fosse uma prioridade para Nasser, mesmo em 1948. Se você ler as memórias dele, fica claro que sua obsessão era o Egito. Ele era compreensivelmente um nacionalista egípcio. A Palestina era importante, mas não era prioridade. Mas para responder à outra questão que você levantou: como essa nova geração de líderes palestinos se formou? Ela já tinha começado a se consolidar antes de 1967, mas o trauma da Guerra dos Seis Dias teria um impacto enorme. Como você disse, ela cimentou a noção de que os Estados Árabes não iriam ajudar. Acho que muitos acreditavam que Nasser iria – e essa foi a última gota. As sucessivas derrotas de 1948, 1956 e 1967 mostraram que os Estados Árabes não possuíam meios de derrotar Israel, independente se eles tinham vontade de fazê-lo. As iniciativas que vinham efervescendo na sociedade palestina levaram à tomada de controle da OLP, que fora fundada por Nasser em 1964 para poder cooptar e controlar o aumento da onda de fervor nacional. Em 1968, grupos independentes palestinos tomaram conta da OLP, insatisfeitos com o controle egípcio. O Fatah era o maior deles, e logo Arafat tornou-se presidente da organização. Mais uma vez, era um movimento de baixo, contra as elites cooptadas; Ahmad Shukeiri e outros, que originalmente comandavam a OLP. Shukeiri, a propósito, era outro membro da velha classe dominante. Mas a partir de então havia uma nova geração de líderes palestinos – Arafat, Hawatmeh, Habash, Abu Jihad e outros – que representavam uma classe diferente, um conjunto diferente de identidades em relação a tudo aquilo que havia antes.

Um dos slogans mais importantes do Arafat era "*al-qarar al-Filistini al-mustaqil*" – poder palestino independente para tomar decisões. Essa insistência na autodeterminação e autonomia palestinas foi a chave para a sua popularidade nesse período inicial: 'Os regimes árabes não nos controlam'. Esse foi um dos seus (relativamente) poucos sucessos, mas um dos principais: manter a OLP em grande parte independente das potências árabes que queriam controlar o movimento palestino, da mesma maneira como eles tentavam desde os anos 1930. Durante a Grande Revolta, na Conferência de Saint James de 1939, no debate sobre a Resolução de Repartição da ONU ou no estabelecimento da OLP – os regimes árabes tentaram consistentemente dominar a questão palestina em benefício próprio; mas rivalizando uns com os outros, é claro. Eles ainda estão tentando fazê-lo, mesmo quando olham passivos e sem fazer absolutamente nada enquanto Gaza é martirizada.

Junto com Mahmoud Darwish e Edward Said, considero Ghassan Kanafani o intelectual palestino mais importante do século XX.

TA – Você já mencionou uma outra figura de liderança dessa geração, Ghassan Kanafani. O que você escreve sobre ele no seu The Hundred Years' War in Palestine *é comovente. Eu o conheci numa conferência no Kuwait em 1966 e ele foi reverenciado.*

RK – Ele era absolutamente carismático. É um carisma que quase salta da página quando você lê seus livros. Mas se você o conhece pessoalmente... Eu só o encontrei algumas vezes. Era um homem extraordinário.

TA – Não consigo me lembrar das palavras exatas dele, que desde então ficaram famosas, mas perguntei: "Existe a possibilidade de um acordo negociado com esses desgraçados?" E ele disse – eu nunca vou esquecer sua voz e seu sorriso –: "Tariq, me explique como o pescoço negocia com a espada". Eu ri muito, e disse: "Essa é uma analogia brilhante". Ele era um grande intelectual, um escritor e também um líder político. Ele parecia representar toda uma cultura. Então eles o mataram. O Mossad o explodiu enquanto ele viajava com a sua sobrinha.

RK – Exatamente. Seus trabalhos literários ressoam até os dias de hoje. Meu filho Ismail adaptou sua novela *Retorno a Haifa*[11] para o palco, com Naomi Wallace. É impossível conseguir que um grande teatro dos Estados Unidos apresente a peça, apesar dela ter estreado em Londres no Finborough Theatre. A adaptação foi comissionada pelo Public Theater de Nova York, mas o conselho se recusou a permitir sua produção; disseram que Kanafani era um "terrorista". Mesmo assim, apesar da censura, seus trabalhos estão por toda parte. Até hoje, seus romances são reimpressos e reeditados, assim como suas peças, sua poesia, seus escritos, tanto em árabe como traduzidos. Junto com Mahmoud Darwish e Edward Said, eu o considero o intelectual palestino mais importante do século XX.

TA – Isso é o que nós estávamos dizendo antes: eles sabem a quem matar.

RK – E a quem não matar.

TA – O que levou Arafat e sua equipe a finalmente decidirem se vender em Oslo, em 1993? Nosso amigo Edward Said chamou isso de "Versalhes palestina"[12] *– uma paz punitiva.*

RK – Edward estava certo, mas ele não sabia o quão certo. Na verdade, foi muito pior do que Versalhes. O ponto de virada foi 1988, quando Arafat e sua equipe no Conselho Nacional Palestino (CNP) essencialmente renderam-se às condições estipuladas pelos estadunidenses para iniciar um diálogo: os palestinos deveriam renunciar à violência, coisa que Israel nunca foi obrigada a fazer, e aceitar a repartição, assinando a Resolução 242 da ONU, que restringiu o problema ao resultado da guerra de 1967. A resolução da ONU foi escrita por Arthur Goldberg, Abba Eban e Lord Caradon: seus autores eram os grandes poderes imperiais junto a

[11] Ghassan Kanafani, *Retorno a Haifa* (trad. Ahmed Zoghbi, São Paulo, Tabla, 2023).

[12] Edward Said, "The Morning After", *London Review of Books*, v. 15, n. 20, 21 out. 1993.

seu Estado cliente, Israel, apesar de ter sido endossada no Conselho de Segurança da ONU pela URSS. Na verdade, os israelenses não queriam que a OLP se rendesse àquela altura. Eles não estavam interessados em dialogar, não importava o que a OLP aceitasse. Eles poderiam ter concordado com a Resolução 242, aceitado a "solução de dois Estados", renunciado à violência, e os israelenses ainda assim não dialogariam com eles; até que [Yitzhak] Rabin finalmente quebraria esse tabu em 1992.

Por trás da virada da OLP está o resultado da guerra de outubro de 1973, quando os regimes egípcio e sírio deixaram claro que seus interesses estavam limitados a seus próprios territórios ocupados em 1967, a península do Sinai e as colinas de Golã. Além disso, eles não estavam nem aí. E isso ficou claro para a liderança palestina. Vi alguns deles voltando do Cairo. Eu estava vivendo em Beirute na época e trabalhava como intérprete para uma delegação palestino-americana. Eles falaram sobre a experiência no Cairo com Sadat e sobre como ele deixara claro que era isso. É por isso que estamos nessa, e é *só* por isso mesmo. Vocês que se cuidem por conta própria. Ele não disse isso com todas essas palavras...

TA – Mas foi isso o que ele quis dizer e foi isso que eles fizeram.

RK – Foi isso que a liderança da OLP entendeu. Desse momento em diante, eles começaram a trocar a luta armada e a libertação da Palestina por negociações pela então chamada "solução de dois Estados". Em 1974, no CNP, eles começaram a promover as primeiras mudanças no discurso. A FPLP[13] e a maioria dos membros do Fatah entenderam perfeitamente bem o que eles estavam tentando fazer e se opuseram a isso. A liderança levou anos para chegar ao ponto em que foi capaz de obter a aprovação explícita do CNP para esse programa – de mover a OLP de uma posição de libertação de toda a Palestina para um Estado democrático-secular para muçulmanos, cristãos e judeus, no qual todos seriam iguais, para a solução de um Estado e múltiplos bantustões, que é na prática a solução de dois Estados proposta pelos Estados Unidos. Foi isso que os israelenses nos deram, pequenos pedaços e partes separados por enormes faixas de ocupações israelenses ilegais. A liderança de Arafat provavelmente aceitou isso no princípio em 1974 e então começou, devagar e sempre, a conquistar a opinião pública palestina e o movimento.

TA – Outro dia, Hillary Clinton deu seus dois centavos de contribuição à montanha de mentiras que foi construída em cima desse "processo de

[13] Frente Popular para Libertação da Palestina, organização revolucionária socialista formada por George Habash e outros depois da guerra de 1967.

paz". Ela basicamente disse: "Nós oferecemos tudo aos palestinos nos Acordos de Camp David, mas eles rejeitaram. Eles já poderiam ter seu próprio Estado agora". Você conheceu essa etapa intimamente.

A soberania da Palestina, seu reconhecimento como Estado e o fim da ocupação e dos assentamentos, *nunca* estiveram na mesa de negociações do "processo de paz"

RK – Um aluno meu escreveu um dos melhores livros sobre o impacto de longo prazo de Camp David[14]. Eu foquei mais nas negociações de Madri e Washington em *Brokers of Deceit*. O ponto básico é que a soberania da Palestina, seu reconhecimento como Estado e o fim da ocupação e dos assentamentos, nunca estiveram na mesa, jamais, em lugar nenhum, em nenhum momento, por parte de nenhum dos atores – nem Estados Unidos, nem Israel, nem ninguém. Em Camp David, em 1979, ofereceram "autonomia"; em Madri e em Washington, em 1991, só fomos autorizados a negociar "autonomia", ou autogovernança sob a soberania de Israel; tudo o que nos foi dito é que "questões do *status* final" incluiriam discussões sobre essas outras coisas. Mas nós sabíamos qual era o objetivo. Rabin nos disse. No seu último discurso, em 1995, pouco antes de ser assassinado por ter ido muito longe, ele nos explicou quão longe ele realmente iria. Ele disse: o que estamos oferecendo aos palestinos é menos que um Estado e nós manteríamos o controle de segurança no vale do Jordão. Em outras palavras, nem autodeterminação, nem soberania, nem Estado. Uma solução de um Estado e múltiplos bantustões.

Essa era a oferta de Israel. E nunca mudou. Rabin foi assassinado – *ele* talvez teria mudado, podemos especular sobre isso, se não tivesse sido assassinado. Mas isso foi o que ele disse no seu último discurso no Knesset. E esses eram os termos de Ehud Barak em 2000, que negociou com a OLP, diferente da maioria dos líderes israelenses. Rabin, Barak e mais tarde Olmert estavam de fato dispostos a negociar – estavam dispostos a colocar a espada no pescoço, na expressão inimitável de Kanafani. Mas o que eles estavam oferecendo? Não era Estado, nem soberania, nem autodeterminação, nem o fim da ocupação e nem a remoção dos assentamentos. Quanto a Clinton: uma das maiores mentirosas da política estadunidense e envolvida em múltiplos crimes de guerra. Ela disse que os estudantes não entendem história. O que ela está propagando com certeza não é história. É uma narrativa totalmente distorcida, falsa em praticamente todos aspectos.

[14] Seth Anziska, *Preventing Palestine: A Political History from Camp David to Oslo* (Princeton, Princeton University Press, 2018).

TA – Vamos falar sobre o Hamas. Faz sentido dizer, como muitos de seus oponentes na OLP insistem, que foi criado por Israel?

RK – Não. Deixe-me ser muito claro. O Hamas surgiu em 1987-88 da situação que nós já discutimos. Ele nasceu do Movimento Islâmico em Gaza, como uma extensão palestina separada da Irmandade Muçulmana do Egito. Isso aconteceu no momento em que o Fatah e a OLP abandonaram o objetivo de libertação de toda a Palestina como um Estado secular e democrático, em troca de aceitar as condições israelense-americanas descritas na Resolução 242 da ONU, depondo as armas, aceitando um estadículo palestino dividido, lado a lado com Israel. A OLP aceitou esses termos formalmente em 1987-88, que foi bem quando o Hamas surgiu como uma dissidência do Movimento Islâmico.

Agora, eles foram encorajados pelos israelenses? Sim, claro que foram. Os israelenses viam a OLP como seus principais opositores nacionalistas, como o principal perigo. Qualquer movimento dissidente que minasse o apoio irrestrito dos palestinos à OLP era bem-vindo pela inteligência israelense. Claro que era. Dois especialistas israelenses, Shaul Mishal e Avraham Sela escreveram um bom livro sobre o Hamas que discute isso[15]. Tem também uma excelente reportagem da Reuters que entra em detalhes sobre como os serviços de inteligência israelenses manipularam e apoiaram os movimentos islâmicos em Gaza. Todo o resto foi eliminado – toda expressão de identidade palestina, até o Crescente Vermelho Palestino –, menos os islâmicos. Eles operavam livremente. Quando os israelenses precisavam de alguém para bater nos manifestantes da OLP no campus de Birzeit, na Cisjordânia, eles transportavam os islâmicos de Gaza, atravessando Israel de ônibus, equipados com barras de ferro e bastões para espancar os militantes pró-OLP. Amigos me contaram sobre jovens tendo seus braços quebrados por essas pessoas. Os islâmicos eram autorizados a agir sem serem presos, sem serem incomodados, como nenhuma outra organização da sociedade civil palestina era.

Quando o Hamas surgiu, as autoridades da ocupação israelense ficaram divididas no início, porque o Hamas produziu seu notório estatuto antissemita e lançou operações contra soldados e colonos israelenses em Gaza, depois do começo da Intifada, em dezembro de 1987. Havia um debate dentro da inteligência de Israel e dos militares: nós realmente queremos continuar apoiando essas pessoas ou não? Mas em diferentes ocasiões eles foram, se não apoiados, pelo menos autorizados a operar por motivos de "dividir para conquistar", pelos serviços de inteligência

[15] Shaul Mishal e Avraham Sela, *The Palestinian Hamas: Vision, Violence and Coexistence* (Nova York, Columbia University Press, 2000).

de Israel que controlavam a Faixa de Gaza. Eu assisti a um filme maravilhoso chamado *O gueto de Gaza*, feito por Joan Mandell em 1984, que mostra como era a Faixa de Gaza sob ocupação de Israel naquele período. A ocupação israelense controlava tudo, como hoje controla tudo na Cisjordânia. Houve tentativas de resistência, obviamente, algumas bem-sucedidas, outras não. Mas, com o tempo, o Hamas se tornou um movimento de resistência, e aí os israelenses não ficaram nada felizes com isso. Mas eles voltaram a apoiá-lo nos últimos anos com [Benjamin] Netanyahu, porque eles pensaram que poderiam usar o Hamas para pacificar a Faixa de Gaza, com o dinheiro vindo dos países do Golfo, o Qatar mais especificamente.

A liderança de Arafat-Abbas esvaziou o cerne do movimento nacional palestino. Hoje a OLP não passa de uma fachada.

TA – Mas acabou não sendo bem assim.

RK – Não funcionou muito bem para eles.

TA – Nós agora temos a ironia de que a OLP, chamada de secular e democrática, é 100% ou 99,9% colaboracionista com Israel, que o Exército de Israel efetivamente dá as ordens e a "Autoridade" Palestina controlada pelo Fatah as executa. Enquanto isso, uma organização islâmica estilo Irmandade Muçulmana, o Hamas, se transformou na liderança do que nós poderíamos chamar, e de fato é, a resistência palestina de hoje.

RK – A terrível ironia é que o que Arafat e seus colegas de fato fizeram ao aceitar os Acordos de Oslo e mover quase todo o movimento nacionalista para uma prisão controlada por Israel nos territórios ocupados, foi, em primeiro lugar, esvaziar a própria OLP. Hoje a OLP não existe mais, a não ser como fachada. Sua liderança agora opera por meio dessa marionete colaboracionista chamada Autoridade Palestina, essencialmente uma prestadora de serviços da ocupação. Ela não tem uma existência independente. Não tem nenhuma autoridade, nem jurisdição, nem soberania. É apenas um braço da ocupação, um entre muitos. A liderança de Arafat-Abbas, portanto, esvaziou aquilo que era o cerne do movimento nacional, a OLP. Hoje, não se pode falar que existe OLP. O que existe é uma Autoridade Palestina, uma burocracia que tem poder de governo sobre a vida civil dos palestinos em parte da Cisjordânia, ainda que uma pequena parte. A maior parte da Cisjordânia, a então chamada área C, é controlada diretamente pelo Exército de Israel. A Autoridade Palestina está presente em, no máximo, 20%-30% da Cisjordânia, em termos de responsabilidade pela educação pública, saúde etc. Mas Israel é a potência soberana na totalidade da Cisjordânia e na parte árabe ocupada da Jerusalém Oriental. É o poder de ocupação. É o poder de segurança. Controla o registro da população, entrada e saída e tudo que tenha a ver com financiamento. Controla os serviços de segurança da Autoridade Palestina – eles fazem o que Israel quer. O povo palestino quer se proteger da ocupação e dos colonos, mas a Autoridade Palestina serve como agente da ocupação. Eles servem ao inimigo. Então, sim: essa é uma tragédia para os elementos democrático-seculares do movimento nacionalista palestino que não são ligados à Irmandade Muçulmana.

TA – Depois de Oslo, Perry Anderson descreveu a trajetória do Fatah como um naufrágio de um maximalismo fantasioso para um minimalismo ignominioso, sem nenhuma tentativa de definir ou lutar por uma solução intermediária equânime[16]*. Ainda existem alguns na OLP que resistem. Hanan Ashrawi tem sido mais forte que os demais, e tenho certeza de que deve haver outros esperando por uma alternativa.*

RK – Existem muitas pessoas, inclusive pessoas envolvidas com a OLP/ Fatah, e mesmo algumas envolvidas com a Autoridade Palestina, apesar de não muitas, que ainda têm uma posição independente e que se opõem à natureza colaboracionista da Autoridade Palestina. Você pode ver claramente em uma série de pesquisas de opinião pública o quão odiado é Abu Mazen (Mahmoud Abbas), e o quão odiada é a Autoridade Palestina. Isso apesar do fato de eles pagarem o salário de uma enorme parcela da população dos territórios ocupados. Há dezenas de milhares de agentes de segurança, dezenas de milhares de servidores governamentais, professores, pessoal do sistema de saúde, que estão na folha de pagamento da Autoridade Palestina e que são completamente dependentes dela para sobrevivência. Apesar disso, a AP é odiada pela grande maioria da população. Isso está perfeitamente claro.

O povo palestino quer se proteger da ocupação e dos colonos, mas a Autoridade Palestina serve como agente da ocupação.

O interessante é que a popularidade do Hamas nem sempre foi tão grande como algumas pessoas pensam, seja em Gaza, onde eles estavam se tornando extremamente impopulares antes do 7 de outubro, e mesmo na Cisjordânia, onde eles só são mais populares porque as pessoas não são governadas por eles. Mas muitos daqueles sob seu governo na Faixa de Gaza passaram a não ver o Hamas com bons olhos. Depende da pesquisa, de quem pergunta e para quem pergunta. O sentimento público não é estático; oscila com o tempo. Mas a questão sobre o grau de apoio

[16] Perry Anderson, "A casa de Sião", trad. Artur Renzo, *Margem Esquerda*, São Paulo, Boitempo, n. 27, 2016, p. 125.

popular do Hamas deveria ser perguntada de maneira bem mais cuidadosa. As pessoas acham que, porque muitos jovens foram tomados por entusiasmo depois do 7 de outubro, essa ainda é a visão da maioria das pessoas hoje, oito meses depois. Não acho que esse é necessariamente o caso. O Hamas é visto como merecedor de crédito por ter infligido uma derrota militar a Israel, de uma maneira inédita. Israel teve algumas derrotas em 1948, e sofreu um revés militar severo no começo da guerra de 1973, antes que os estadunidenses viessem acudi-lo. Mas desde 1948 Israel nunca tinha tido que lutar por dias em seu próprio território. Demorou quatro dias para que eles recuperassem as bases militares e as numerosas comunidades que foram tomadas pelo Hamas e seus aliados no 7 de outubro. Isso não havia acontecido antes. O maior número de mortes de civis israelenses desde 1948 foi causado pelo ataque de 7 de outubro (a propaganda israelense fala que foi o maior número desde o Holocausto, mas isso não é verdade; 2 mil civis israelenses e 4 mil soldados morreram em 1948). Mas Israel nunca sofreu uma falha de inteligência dessa magnitude. Nem em 1973. Muita gente dá crédito ao Hamas por isso, ainda que eles tenham reservas sobre outras questões.

TA – Os israelenses sabiam o que estava acontecendo em 1973. Os estadunidenses os estavam informando...

RK – Eles sabiam ou descobriram relativamente tarde, mas não reagiram rápido o suficiente, por arrogância ou húbris. Eles tinham espiões no Egito. Eles tinham espiões por toda parte. Eles tinham gente dizendo a eles: "espera, espera, eles estão só fazendo exercícios". Mesmo que 1973 tenha sido um choque grande, com a Síria tomando as colinas de Golã, não houve baixas civis israelenses. Isso precisa ser dito e repetido sobre o 7 de outubro: além das atrocidades que definitivamente aconteceram, o maior número de baixas civis que Israel sofreu desde 1948 aconteceu naqueles quatro primeiros dias do ataque. Isso é uma coisa que os palestinos têm que levar em consideração se eles quiserem entender por que Israel está sendo tão brutal na punição coletiva de Gaza. Não é só pela derrota militar e a falha da inteligência. Não é só para restaurar a honra ferida, a confiança abalada do Exército. É um desejo visceral de vingança, retribuição pelo sofrimento traumático de um grande número de civis israelenses. Não só os mortos ou capturados: comunidades inteiras foram esvaziadas e ainda não foram repovoadas oito meses depois. Isso é fundamental se quisermos entender o que motivou a ferocidade do comportamento de Israel. Existe uma lógica subjacente que remonta à gênese do projeto sionista. Todo projeto de colonialismo de povoamento precisa se comportar ferozmente, para se estabelecer às custas da população autóctone. Mas o que nós testemunhamos nos últimos oito meses está em um grau nunca visto antes, desde 1948.

Nós estamos absolutamente conscientes de que, desde 7 de outubro, pelo menos 25 vezes mais palestinos foram mortos do que israelenses, e uma enorme parte deles civis, mulheres, crianças, idosos, médicos e profissionais da saúde, jornalistas e acadêmicos. O mundo está agora plenamente consciente do trauma que isso está produzindo. Mas muitos ainda não entenderam o grau em que a sociedade israelense foi afetada pelo impacto daqueles quatro dias que o Exército israelense demorou para recuperar os quartéis-generais tomados da Divisão de Gaza, retomar a passagem de Erez, as múltiplas bases militares que foram capturadas e uma dúzia de comunidades ao longo da fronteira com Gaza. Eles demoraram até o dia 10 de outubro. O choque em Israel vai durar por muito tempo, assim como o trauma do que está sendo feito em Gaza agora vai afetar os palestinos em todos os lugares por muitos anos ainda. Não só os habitantes de Gaza, ou as pessoas como eu, meus amigos e estudantes que têm família em Gaza, ou conhecem alguém lá. Todo palestino é afetado por esse trauma, e muitos outros além dele.

TA – Como discutimos, nenhuma das tragédias anteriores da história palestina teve esse impacto na opinião pública global, e certamente não nos Estados Unidos. Ainda assim, ver os acampamentos que estão sendo montados em centenas de campi estadunidenses é bastante surpreendente para mim. Eu ouvi seu belo discurso para os alunos de Columbia no outro dia. É como se o 7 de outubro tivesse trazido à tona um abismo geracional, no que diz respeito a Israel e Palestina. Uma camada significativa de jovens, incluindo milhares de jovens judeus, como os que ocuparam a Grand Central Station em Nova York, não querem ter nada a ver com essa entidade monstruosa que mata pessoas à revelia. As pessoas estão vendo o que Israel está fazendo, e estão dizendo que é demais, que é inaceitável, que é um genocídio. E isso está realmente incomodando os políticos e a mídia hegemônica. Você acha que isso vai durar? E, relacionado a isso, como você explica que Washington tenha se tornado tão covarde? Em Brokers of Deceit, *você nos oferece uma análise sóbria, ainda que bastante afiada, sobre o papel dos Estados Unidos no Oriente Médio, em especial sob Clinton e Obama, e mostra que, enquanto Washington se coloca como mediador imparcial, tentando promover um "processo de paz" equânime e equilibrado, na verdade ele é muito parcial, agindo como "advogado de Israel" e seu maior apoiador. No entanto, quando os interesses estadunidenses estavam em jogo, as administrações anteriores se mostraram dispostas a estalar o chicote. Truman manteve um armistício entre todos os beligerantes em 1948; depois de Suez, Eisenhower mandou Ben-Gurion se retirar de Gaza e o Sinai em duas semanas se não quisesse enfrentar sanções; em agosto de 1982, Reagan mandou Begin parar com o bombardeio a Beirute; Bush pai ameaçou congelar 50 bilhões de dólares para conseguir que Israel sentasse à mesa de negociações. A bancada atual, tanto de democratas quanto de republicanos, não demonstra nenhuma disposição para exercer qualquer tipo de pressão. Biden – "Genocide Joe" como os estudantes o apelidaram – é o pior de todos. Trump não será melhor. O secretário de Estado, Antony Blinken, dança como um macaco amestrado a todas as melodias que Netanyahu toca. Será que o macaco virou tocador de realejo? Por que e como as coisas chegaram a esse ponto?*

RK – Essa é uma pergunta difícil de responder. Nós espremmemos nossos cérebros tentando entender até que ponto eles se tornaram piores do que cúmplices. Eles se tornaram amplificadores de qualquer propaganda sionista ruim. O presidente e seus terríveis porta-vozes, Admiral Kirby e o péssimo Matthew Miller, soam como *attachés* de Netanyahu – como os piores propagandistas de Israel, abraçando a narrativa israelense ponto por ponto. Hoje eles admitem que os Estados Unidos estão ajudando Israel a caçar e matar as lideranças do Hamas, que forneceram inteligência para o resgate de reféns que matou mais de trezentos palestinos. A RAF tem sobrevoado a Faixa de Gaza quase diariamente em missões de vigilância. Estados Unidos e Inglaterra, seu ajudante sanguinário, estão participando diretamente na carnificina, não apenas fornecendo armas, dinheiro e vetos na ONU, mas também fazendo o trabalho de inteligência e propaganda para esse genocídio. Você usou a palavra "covarde", mas a situação é pior. Existem palavras em árabe para isso, mas eu não consigo traduzi-las. O grau com que essa administração adotou a perspectiva de Israel, de Biden a Blinken, de Sullivan em diante, mostra bem.

É verdade que em algumas posições de liderança existem pessoas que não reproduzem, e se recusam a reproduzir, essa retórica. O secretário de Defesa, [Lloyd] Austin, e o diretor da CIA, [William Joseph] Burns, não o fizeram; assim como outras figuras que ainda têm algum juízo. Mas eles não têm nenhuma influência na administração quanto a essa questão. Eu imagino que a maior parte dos funcionários de carreira do Departamento de Estado, do Exército e da chamada comunidade de inteligência – adoro esse termo, comunidade de "inteligência" – sabem perfeitamente que o que Israel está fazendo é tão fútil quanto perigoso para os interesses dos Estados Unidos; de fato, isso é perigoso para qualquer entendimento racional dos interesses de Israel. Mas eles não têm nenhuma voz no governo Biden.

Parte disso tem a ver com o abismo geracional que você mencionou. Os Estados Unidos são governados por uma elite envelhecida, uma gerontocracia, que foi doutrinada nos anos 1960 e 1970, com o mito da conexão

Biden não expressou a menor simpatia pelas 14 mil crianças palestinas que foram mortas por bombas estadunidenses. Ele não tem nenhum sentimento de vergonha, nenhum senso das dimensões do genocídio horrendo que ele e seu governo estão ajudando a perpetuar.

entre o Holocausto e o estabelecimento de Israel. [Chuck] Schumer, [Nancy] Pelosi, Biden, Trump – todos têm mais de setenta anos. A mentalidade deles foi formada no período da guerra de 1967. E, desde então, eles não abriram suas mentes, nunca tiveram acesso a nada que não fosse narrativa envenenada que pinta Israel com lindas cores e os palestinos da pior forma – a ideia de que Israel vive uma constante ameaça existencial, e que os cossacos estão à sua porta; que o Holocausto pode ser repetido e que Israel representa a flor da civilização ocidental no meio do deserto da barbárie árabe – uma série de estereótipos e imagens racistas que Israel, e antes dele o movimento sionista, semearam no Ocidente. Biden não expressou a menor simpatia pelas 14 mil crianças palestinas que foram mortas por bombas estadunidenses. Ele não tem nenhum sentimento de vergonha, nenhum senso das dimensões do genocídio horrendo que ele e seu governo estão ajudando a perpetuar. E as pessoas ao seu redor refletem isso, obviamente. Estão blindados, isolados.

Por quanto tempo isso vai continuar? Eu não sei. Não vejo sinal de que vá parar. Agora eles começaram timidamente a deduzir que Israel está prejudicando seus próprios interesses e os deles, e estão tentando refreá-los um pouco. Mas até agora não tiveram nenhuma influência em Israel nesse sentido. Se eu fosse Netanyahu e minha sobrevivência política dependesse da continuação da guerra, os balidos débeis dos americanos, ameaçando atrasar a entrega de um ou dois carregamentos de armas não seria razão suficiente para me fazer parar. Ele vai continuar pelo tempo que quiser, vendo com razão que os americanos ladram, mas não mordem, e que qualquer mordida seria uma beliscada inócua. Os Estados Unidos poderiam dizer, 'nós vamos interromper *todos* os carregamentos de armas a não ser que Israel aceite o plano de cessar-fogo que o diretor da CIA, Burns, apresentou'. Eles poderiam apoiar uma resolução do Conselho de Segurança demandando um cessar-fogo sob condições específicas da Carta da ONU, o que forçaria Israel a parar amanhã. Eles não farão isso. Voltando ao que você disse: isso era uma coisa que o próprio Reagan estava disposto a fazer em agosto de 1982. Os israelenses só pararam de bombardear Beirute porque Reagan subiu o tom com Begin, e meia hora depois eles pararam. Nós estávamos lá em Beirute sob bombardeio israelense e, de repente, parou, essencialmente por causa de um telefonema do presidente dos Estados Unidos para o primeiro-ministro de Israel. Biden não fez isso.

TA – Mearsheimer e Walt foram vilanizados por seu livro sobre o lobby *de Israel, chamados de antissemitas, entre outras coisas*[17]*. Mas o argumento que eles apresentaram sobre como a política estadunidense é conduzida nesse patamar me parece muito forte hoje.*

RK – O impressionante é que, apesar de toda a vilanização e os xingamentos, *The Israel Lobby and US Foreign Policy* [O *lobby* de Israel e a política externa estadunidense] rapidamente se tornou um dos livros mais vendidos, e ainda está vendendo muito bem. Eu conheço os autores, ambos são meus amigos. Acredito que, com a guerra mais recente, houve um crescimento nas vendas, uma década e meia depois da publicação original. Eu acho que foi uma análise bem-feita. Não penso que tenha sido abrangente o suficiente, porque só trata dos grupos lobistas em Capitol Hill, assim como os cristãos sionistas, os neocons [neoconservadores] e os capatazes desses *lobbies* na academia e na mídia, ao passo que existe todo um ecossistema que se estendeu a elementos importantes do Exército estadunidense e a setores da tecnologia e da biomedicina, que são intimamente integrados aos equivalentes israelenses. Partes de extrema importância da economia americana são ligadas aos setores equivalentes de Israel e essas são forças poderosas na sociedade americana. Eles têm o Congresso no bolso, no sentido de que suas contribuições mantêm políticos eleitos – o Vale do Silício e os setores de biotecnologia, de finanças e militar em particular. A imbricação entre Israel e o complexo militar-industrial não tem precedentes, assim como a imbricação das redes de Defesa e Inteligência de Israel com as da Índia, dos Emirados e de alguns outros países. Não acho que isso esteja totalmente explícito no *The Israel Lobby*, em parte porque algumas dessas informações vieram à tona após a publicação do livro.

TA – Vamos ao assunto da elite árabe atual, que continua na mesma, ainda mais flagrantemente do que depois da Nakba. Antes do 7 de outubro, os sauditas estavam prestes a reconhecer Israel.

RK – Eles ainda estão.

TA – Eles ainda estão. E os Estados do Golfo continuam sendo postos de gasolina imperiais com quantidades enormes de dinheiro. A Jordânia já é há muito tempo um protetorado israelense-americano. As massas egípcias foram brutalmente derrotadas pelo Exército. Eu achava que poderia haver mais protestos no mundo árabe – e que a única coisa capaz de mudar

[17] John Mearsheimer e Stephen Walt, *The Israel Lobby and U.S. Foreign Policy* (Nova York, Farrar Straus and Giroux, 2007); o livro amplia os argumentos apresentados em "The Israel Lobby", *London Review of Books*, v. 28, n. 6, 23 mar. 2006.

o clima lá seriam revoltas populares. Mas, com exceção do Iêmen, não aconteceu muito. Tivemos manifestações pró-Gaza, mas até agora nada da proporção do que se viu nos Estados Unidos e na Inglaterra.

RK – Acredito que há duas coisas a serem ditas aqui. A primeira é que existe, e sempre existiu, uma profunda simpatia com a Palestina em meio aos povos árabes, por todo o mundo árabe, do Golfo ao Atlântico. Isso não mudou. Subiu ou desceu um pouco, mas nunca desapareceu. Mas essas pessoas estão enfrentando outras questões críticas. Se você vive em um Estado que foi destruído, como Líbia, Síria, Iraque, Iêmen, Sudão e Líbano – pela guerra civil e a intervenção das potências imperiais e seus Estados clientes, você tem outras preocupações. O Iraque ainda não tem energia 24 horas por dia, 21 anos depois da ocupação estadunidense – um dos maiores produtores de petróleo do mundo. A Palestina é importante, mas luz elétrica e não ser morto pelo regime – ou por uma das facções armadas – também é importante. Essa é a situação de meia dúzia de países árabes: diferentes estágios de guerra civil misturada com guerra por procuração, com todas as grandes potências envolvidas.

A segunda coisa é que, quase sem exceção, do Golfo ao Atlântico, você não tem governos que permitam à opinião pública se expressar. São ditaduras militares, um *pouvoir* na Argélia, a monarquia mais absoluta desde Luís XIV, que não permite basicamente nenhum dissenso além de um pequeno espaço e, se você for além disso, vai ser submetido a choques e ser torturado, vai ser preso e sua família vai sofrer. Então você está certo, nenhum protesto eclodiu no mundo árabe que chegasse ao nível do que se viu em Londres e Nova York, ou em algumas partes do Sul Global, Indonésia e Paquistão. Isso é parcialmente porque as massas árabes se intimidaram pelos ataques e pelas torturas infligidos a eles desde a chamada Primavera Árabe. Eles foram trazidos à ordem pelos Estados clientes dos americanos, em especial os sauditas e os emiradenses, com grande injeção de dinheiro e apoio para as mais duras medidas de segurança. Não se pode culpar o povo por não querer se levantar além de um determinado ponto sobre essa questão.

Em alguns lugares, contudo, a situação é crítica, como na Jordânia, por exemplo, e em alguns outros países de maneira mais discreta. Mas eu não acho que isso leve às transições democráticas que seriam necessárias para que esses países desempenhem um papel ativo e positivo. Seus chefes de Estado estão mais preocupados com o que Washington e Tel-Aviv têm a dizer do que com seu próprio povo. Eles não representam as visões dos respectivos povos de forma alguma. Eles estão amarrados a Israel de várias maneiras visíveis e invisíveis. As defesas antimísseis dos Emirados foram fornecidas pela subsidiária israelense da Raytheon, o que significa que o monitoramento antimíssil de Israel contra o Irã fica em Jabal Ali, em Abu Dhabi, não em Jabal al-Sheikh (monte Hérmon), nas ocupadas colinas de Golã. Os Emirados Árabes Unidos dependem inteiramente de Israel para sua segurança contra ataques de mísseis. Existem variações desse acordo na Jordânia, no Egito e em outros países árabes. No Marrocos, a guarda real vem sendo treinada pelo Mossad pelos últimos cinquenta, sessenta anos, desde o rei Hassan II. As conexões com a defesa israelense atravessaram gerações nos casos da Jordânia, Marrocos e Egito, e está bem estabelecida em vários países do Golfo, e em alguns outros também.

TA – Havia uma esperança de que o Hezbollah, com o apoio tácito ou público do regime iraniano, poderia abrir um segundo front *e aliviar a pressão no Hamas. Mas isso não aconteceu.*

RK – Eu acho que o Hamas estava errado em esperar por isso. Eles provavelmente esperavam um apoio bem mais substancial dos palestinos dos territórios ocupados e esperavam que o Hezbollah, assim como outras milícias aliadas do Irã e talvez mesmo o próprio Irã, seria muito mais vigoroso na reação à contrarresposta de Israel ao 7 de outubro. Esse é o exemplo perfeito do quão pouco eles conhecem o mundo. Apesar de toda a perspicácia em outros aspectos, os líderes que organizaram o ataque têm o que eu chamaria de uma visão de túnel. Acho que eles realmente acreditaram que haveria uma revolta no mundo árabe. Não tenho muita evidência pra sustentar essa afirmação, mas com certeza eles ficaram desapontados com a reação. E a resposta do Hezbollah tem sido o que eu chamaria de "performativa". Teve um efeito significativo em Israel; matou pelo menos quinze soldados e onze civis israelenses, de acordo com fontes de Israel, e levou à evacuação da região de fronteira – dezenas de milhares foram forçados a sair de suas casas.

No entanto, embora ainda possa explodir em uma guerra de grande escala, até agora tem sido um olho por olho bem comedido e controlado. Essa é uma demonstração do que qualquer um com olhos para ver poderia ter avisado aos rapazes nos túneis, que o Irã não investiu no desenvolvimento das capacidades do Hezbollah para ajudar o Hamas. Eles fizeram isso para criar uma barreira de proteção do Irã contra Israel; essa é a única razão. A ideia de que o Hezbollah e os iranianos iriam atirar todas as flechas de seus arcos para apoiar o Hamas, em uma guerra que estes começaram sem avisar seus aliados – é inacreditável que qualquer pessoa possa pensar que esse seria o caso. O Irã é um Estado-nação que tem interesses nacionais, que são restritos à preservação do regime, autodefesa e *raison d'état*. Você pode falar sobre o islã, ideologia e "eixo de resistência" até perder o fôlego. Eu vou te dizer: *raison d'état* e proteção do regime – é com isso que eles se importam e é por isso que eles apoiaram o aumento das capacidades do Hezbollah. E eles não vão desperdiçar esse tiro. Não existe a menor possibilidade sob nenhuma circunstância que eles façam isso pelo Hamas. Se – e torço muito para que isso não aconteça – eclodir uma guerra de grande escala, será por um erro de cálculo, ou um acidente, ou um movimento irracional de Netanyahu, não por uma decisão do Hezbollah.

O Hezbollah é um partido libanês. Ele tem um patrono iraniano, mas eles estão acuradamente antenados ao fato de que o público libanês vai se virar contra eles se uma operação contra Israel provocar uma retaliação massi-va contra o Líbano – que não seria direcionada apenas ao Hezbollah, mas também, como na guerra de 2006, contra a infraestrutura do Líbano. Os israelenses sempre punem o país anfitrião para que ele force a resistência a parar o que quer que ela esteja fazendo. Eles bombardearam a Jordânia, bombardearam a Síria, para forçar esses regimes a pararem os palestinos. Eles não estavam tentando parar os palestinos em si, mas qualquer país árabe que estivesse recebendo e ajudando os palestinos. Eles fariam isso com o Líbano, para forçar a parar o Hezbollah. E o Hezbollah sabe disso, e os libaneses sabem disso também. Eu não entendo como os líderes do Hamas não entenderam isso. Mostra um distanciamento da realidade e um senso falho de estratégia que é muito preocupante. Desde o 7 de outubro eles têm alterado drasticamente o *status quo* da Palestina e se mostraram bastante aptos a travar um confronto de guerrilha – a um preço altíssimo, que seja dito. Mas nos últimos tempos a guerra é uma extensão da política por outros meios, e eles não projetaram uma visão política palestina clara, estratégica e unificada para o mundo. Acho que as pessoas não estão dizendo esse tipo de coisa, por mais difícil que seja. Mas elas deveriam ser ditas. Deveriam.

> As lideranças políticas e militares atuaram em sincronia ao longo da maior parte da história de Israel. Esse não é o caso hoje. A elite israelense está dividida.

TA – Concordo inteiramente com você. Quanto ao futuro, qual é o plano de Israel para Gaza? Eles estão tentando criar uma nova Nakba, por exemplo, destruir a faixa, vender as terras para o seu povo e transformar mais palestinos em refugiados? É o que parece ser o caso. Ou alguém vai intervir para prevenir que isso aconteça? Os americanos certamente não vão, isso já ficou claro.

RK – Ao contrário de outros momentos em sua história, Israel não tem uma elite unificada e não há uma posição clara sobre essas questões hoje.

Em 1948, Ben-Gurion dominou a política de Israel; mesmo em 1956 ele prevaleceu sobre [Moshe] Sharett e fez o que quis ao iniciar a Guerra de Suez. Episódio por episódio, quer tenham ido bem ou mal, eles pelo menos sabiam o que queriam fazer. Existia uma coesão, um senso unificado dos interesses de Israel. Mesmo depois da guerra de 1967, quando eles não conseguiam decidir muito bem se ficavam logo com tudo ou não, havia uma liderança coesa. As lideranças políticas e militares atuaram em sincronia ao longo da maior parte da história de Israel. Esse não é o caso hoje. Não acho que exista em Israel uma visão clara do que fazer. Netanyahu tem muito pouca noção do que quer em termos de estratégia. O que ele quer pessoalmente é a continuação da guerra sem uma estratégia definida de desfecho. Isso serve ao seus interesses políticos individuais: permanecer no poder, não ter que passar por uma eleição e não ter que enfrentar um julgamento.

Outras facções dentro do seu governo têm visões diferentes. Os militares e os setores de inteligência não têm uma posição coesa. Recentemente um antigo chefe de gabinete veio a público dizer que a guerra tem que acabar. Isso é inédito. Nunca vimos ex-chefes de gabinete dizendo isso em tempos de guerra; Aviv Kohavi acabou de fazê-lo. Outros generais da reserva e chefes da inteligência disseram coisas similares. A elite israelense está dividida, por boas razões, sobre como acabar com a guerra, sobre o que fazer com Gaza no dia seguinte, se esse dia chegar. No começo, estava claro que eles esperavam poder completar a Nakba e expulsar grandes números de pessoas – para o Egito, e possivelmente também da Cisjordânia para a Jordânia. E eles mandaram seu garoto de recados, Blinken, para fazer o trabalho sujo por eles – indo aos egípcios, aos jordanianos e aos sauditas e implorando, por favor, vocês poderiam deixar isso acontecer? A participação do governo estadunidense no plano de Israel de aprofundar a limpeza étnica da Palestina é um dos episódios mais desprezíveis da história americana. Vai ser uma marca de vergonha para Blinken e Biden para sempre. Em 1948, Washington não *queria* uma limpeza étnica, apesar de Truman ter permitido que ela acontecesse e não ter feito nada para impor a Resolução de Repartição que ele se esforçara tanto para conseguir. A situação atual é diferente e muito pior. Washington está ativamente apoiando Israel no genocídio, e ativamente tentando intermediar a limpeza étnica de parte da Palestina.

Mas se a liderança de Israel tinha uma visão clara do que eles queriam no começo – devastar Gaza e completar a Nakba – não acredito que eles tenham uma visão clara agora. O que parece estar se desenhando é alguma forma de ocupação israelense – um resultado que ninguém (nem os próprios israelenses) deseja. Eu não iria querer ocupar Gaza se fosse eles. A última ocupação deles, que terminou em 2005, não foi muito bem-sucedida. Pense no que eles tiveram que suportar desde o início dos anos 2000, do Hamas e de outros grupos com capacidades muito menores do que as de hoje. Não acho que exista alguma opção boa, francamente, de uma perspectiva israelense. Não acredito que tenha havido uma decisão clara da liderança sobre isso. Posso estar errado, mas essa é a minha impressão como alguém de fora, lendo a imprensa israelense. Apesar do seu enorme poderio, eles se colocaram em uma situação estratégica complicada.

TA – Uma terrível ironia da história. Depois da Guerra dos Seis Dias, em 1967, Isaac Deutscher deu uma entrevista para a New Left Review[18]. *Ele havia rompido com Israel definitivamente e mandou uma mensagem para Ben-Gurion, que ele conhecia, avisando do desastre que seria não acabar com a ocupação. Ele descreveu Israel como os prussianos do Oriente Médio – uma sucessão de vitórias que gerou confiança cega na força das suas próprias armas, arrogância chauvinista e desprezo por outros povos – e relembrou as lições que os alemães tiraram de sua experiência:* "Man kann sich totseigen!". *Você pode se matar de triunfo.*

RK – Bom, Ben-Gurion aprendeu isso. Depois da guerra de 1967, ele ficou preocupado que Israel chafurdasse em triunfalismo e não aproveitasse a oportunidade oferecida pela guerra para obter um acordo favorável a Israel e ao sionismo. Ele estava, obviamente, certo. O que é triste em muitos desses líderes é que eles aprendem tarde demais. Aí você tem Ehud Olmert falando sobre coisas que ele nunca havia dito quando era primeiro ministro, ou Ben-Gurion dizendo coisas em sua senilidade que ele nunca havia dito antes, ou generais da reserva, chefes do Mossad e do Shin Bet cheios de sabedoria depois que se aposentam. Eu tive um ótimo encontro com Yehoshafat Harkabi, chefe da inteligência militar israelense na década de 1950, que escreveu dois livros que serviram de base para a demonização da OLP. Ele não só encabeçou a inteligência militar, como atuou como principal propagandista de uma visão negativa da PLO no Ocidente. Quando eu o conheci em idade avançada, o homem havia mudado por completo e escrito vários livros criticando Israel. Geralmente isso acontece tarde demais com essas pessoas. A mesma coisa com Jimmy Carter. Por que você não disse isso quando era presidente?

TA – Exatamente.

RK – O melhor ex-presidente que os Estados Unidos tiveram. Mas eu gostaria de terminar de responder à sua primeira questão sobre o que mudou e o que não mudou. Cresci em um mundo no qual a narrativa

[18] Isaac Deutscher, "On the Israeli-Arab War", *New Left Review*, n. i/44, jul./ago. 1967, p. 38-9.

sionista, como eu disse, era a única e quase todos acreditavam cegamente nela. Esse não é o caso hoje, como nós viemos discutindo. Existe uma vigorosa contestação da narrativa sionista, dentro da comunidade judaica em particular, com uma interessante divisão geracional. Isso é completamente novo – e muito importante.

O que não mudou, e o que os nossos netos ainda terão que enfrentar é o apoio inabalável das potências imperiais ao projeto sionista. Especialmente os Estados Unidos e a Inglaterra da Primeira Guerra Mundial em diante e a França e a Alemanha depois da Segunda Guerra. Esse é de várias maneiras o maior problema, a meu ver. Se você aceitar o esquema de análise do colonialismo de povoamento, então a metrópole é tão importante quanto a colônia. Israel não é de forma alguma uma colônia de povoamento típica; é também um projeto nacional, com uma significativa dimensão bíblica, e refúgio contra a perseguição. Nenhuma outra colônia de povoamento era um refúgio contra a perseguição nesse sentido – os puritanos e outros dissidentes religiosos, como os *quakers* que vieram para a América do Norte, por certo experimentaram repressão, mas não na mesma escala. Essa combinação de características é única ao projeto de Israel. Mas o núcleo desse projeto, seu núcleo de colônia de povoamento, remete a uma metrópole. E as elites nessa metrópole, infelizmente, não mudaram quase nada desde que eu era criança. As novas gerações terão que lidar com isso.

O núcleo do projeto de Israel, seu caráter de colônia de povoamento, remete a uma metrópole. E as elites nessa metrópole, infelizmente, não mudaram quase nada desde que eu era criança. As novas gerações terão que lidar com isso.

TA – Vários acadêmicos e arqueólogos israelenses, incluindo Israel Finkelstein, mostraram que as histórias heroicas do Velho Testamento – o Êxodo, a linhagem real do Livro dos Reis – eram em sua maioria "tradição inventada", empréstimos que foram construídos como ideologia cortesã em um período posterior. As edições em hebraico dos livros de Shlomo Sand, A invenção do povo judeu *e* A invenção da terra de Israel, *foram* best-sellers *em Israel*[19]. *Mas isso teve um impacto insignificante na percepção da ideologia nacional da maioria da população.*

RK – Sobre o nacionalismo, Gellner, Hobsbawm e Benedict Anderson estavam certos: não importa quais eram as realidades históricas, é o que

[19] Shlomo Sand, *A invenção do povo judeu* (trad. Eveline Bouteiller, São Paulo, Benvirá, 2011); e *A invenção da terra de Israel* (trad. Lúcia Brito, São Paulo, Benvirá, 2014).

as pessoas acreditam que conta. Finkelstein e outros excelentes arqueólogos israelenses desmantelaram boa parte da fundamentação bíblica do sionismo. Mas isso teve pouquíssimos efeitos políticos. Acho que temos que pensar o poder desses mitos bíblicos, independentemente da falta de base da sua perspectiva histórica e arqueológica – sua ressonância através das gerações, através dos séculos, não apenas entre os judeus. É igualmente importante que eles tenham ressoado entre os cristãos. Os protestantes britânicos são, em última instância, responsáveis pela Declaração de Balfour, baseados na sua crença nesses mesmos mitos. Lord Shaftesbury era um sionista em 1830, antes dos primeiros sionistas judeus, por razões religiosas.

TA – Mas a barbárie israelense, como estamos vendo, está começando a desgastar esses mitos, não está?

RK – Talvez haja um acerto de contas. Esse sionismo cristão é um fenômeno principalmente protestante; é muito menos prevalente entre as populações católicas. Essa leitura da Bíblia – o "ajuntamento de Israel" como precursor da Segunda Vinda e do Juízo Final, a revelação de São João – é essencialmente uma leitura protestante. E, em muitas das denominações protestantes mais liberais nos Estados Unidos, existe um entendimento crescente do perigo dessa leitura e do quão falsa ela é em termos de valores cristãos. É possível ver uma mudança paralela ocorrendo entre os judeus que dizem: 'Isso não tem nada a ver com a tradição judaica que eles querem sustentar. Nós não queremos destruir as pessoas como os israelitas destruíram Amaleque. Não acreditamos na versão do judaísmo que anima muitos dos colonos e o espectro político de direita de Israel – que se estende da extrema direita até a centro-esquerda, a propósito. Eles acreditam nessas coisas, sobre destruir os amalequitas como inimigos de Israel. Netanyahu cinicamente abraçou essa lógica exterminista, em uma leitura literal do Livro de Deuterônimo – "Lembra-te do que te fez Amaleque". A maioria do Knesset, 64 membros, está apoiando o governo de um homem que disse isso repetidamente. Ainda assim, não é nisso que uma grande porção da comunidade judaica dos Estados Unidos acredita.

TA – Agora, finalmente, sobre a sua universidade, Columbia.

RK – Não será mais minha universidade quando eu me aposentar no final de junho.

TA – Mas você ainda vai estar associado com ela de alguma maneira.

RK – Eu só serei um antigo membro do corpo docente, dando alguns cursos nessa condição – ou como um docente "contingente", como passamos a chamá-los.

TA – Será que eles acabarão com a denominação "terrorista" de uma vez, a cátedra Edward Said?

RK – Eu não tenho ideia do que vai acontecer com isso. Existem doadores e descendentes de doadores que vão, acredito, insistir que continue a existir a cátedra e que alguém qualificado deveria assumi-la. Eu não tenho ideia. A campanha nos Estados Unidos contra os estudos do Oriente Médio em geral, e os estudos sobre a Palestina em particular, é virulenta e atravessa o espectro político. Agora o Departamento de Polícia de Nova York está se juntando com políticos inescrupulosos no alarde vergonhosamente amplificado pela administração da universidade, sobre agitadores de fora e incitamento por membros do corpo docente, incluindo eu mesmo. Então eu não sei o que vai acontecer. Quando as pessoas me fazem esse tipo de pergunta eu digo que o trabalho de descrição de um historiador não inclui predição do futuro.

Cresci em um mundo no qual a narrativa sionista era completamente hegemônica. Hoje Israel é ampla e acertadamente vista como um Estado pária por causa de suas próprias ações genocidas.

TA – Você dedicou seu último livro aos seus netos, coisa que nós velhinhos tendemos a fazer.

[Risos]

RK – Deixe a gravação mostrar nós dois gargalhando.

TA – Você expressou a esperança de que eles vejam um mundo melhor. Qual é a principal diferença do mundo no qual você cresceu e do mundo em que eles estão crescendo?

RK – Eu cresci em um mundo no qual não existia nenhuma voz palestina – no mundo árabe ou na opinião pública do Ocidente; nenhuma, não existia. Palestinos não existiam. Meus quatro netos estão crescendo em um período em que existem muitas vozes palestinas fortes, por todo o mundo. Então esse é um elemento de mudança para melhor. Cresci em um mundo no qual a narrativa sionista era completamente hegemônica e Israel era descrita de forma exaustiva como "uma luz entre as nações". Esse não é mais o caso. Hoje Israel é ampla e acertadamente vista como um Estado pária por causa de suas próprias ações genocidas. Essas são algumas das poucas coisas boas que aconteceram nesses tempos muito ruins.

... وطن حر
إنسان

DOSSIÊ

Pensar a Palestina após Gaza

uma breve historiografia da Nakba

ARLENE CLEMESHA

O mundo assiste, em 2023-24, a um dos maiores assaltos militares já perpetrados sobre uma população civil indefesa e desarmada. Sob o argumento de aniquilar o Hamas, as Forças Armadas de Israel almejam diretamente as instalações e a população civil da pequena faixa costeira. Cercado, isolado e de fato preso na Faixa de Gaza, o povo palestino está submetido a um bombardeio de proporções gigantescas, somado a uma longa e cada vez mais intensa política de restrição de água potável, mantimentos, medicamentos e demais itens indispensáveis à vida. Todas as situações que estão hoje sob o escrutínio das agências de direitos humanos e cortes internacionais – desde o massacre indiscriminado, os ataques a pessoas em busca de alimento e o bombardeio proposital de residências até as torturas, as valas comuns e as próprias declarações de intenções genocidas por parte das lideranças israelenses, para não mencionar os grotescos vídeos, postados no TikTok e demais mídias sociais, de soldados e civis israelenses zombando dos palestinos enquanto grassam o genocídio, fazendo chacota de sua fome, da destruição de seus lares, de suas vestimentas encontradas entre os escombros, enfim – evidenciam e refletem um longo processo de desumanizacão do povo palestino e nos obrigam a não apenas contextualizar, mas revisitar o significado da Nakba[1] na história palestina para compreender como chegamos até aqui.

[1] O termo, cunhado por Constantine Zurayk em 1948 para designar a catástrofe representada pela expulsão de 750 mil palestinos e a morte de 15 mil em 1947-48, traz a conotação de um evento brusco, disruptivo e causador de profunda miséria humana.

O povo palestino resiste há um século à sua desumanização, desenraizamento e expropriação. Rejeita a implantação do colonialismo em suas terras e repete, também há cem anos, que jamais teve problema com o povo judeu, com quem conviveu em paz ao longo dos tempos – diferentemente da Europa, cuja história de perseguição aos judeus culminou no Holocausto. Aliás, foi entre outras coisas como forma de expiar a culpa europeia pelo crime contra a humanidade representado pela morte de 6 milhões de judeus nos campos de concentração e extermínio nazistas, que a Europa forneceu apoio decisivo à criação do Estado de Israel. Depois de consumado o genocídio judeu, em 1947 a Palestina foi cindida por determinação da ONU – sem consultar nem dar voz aos palestinos – e transformada no palco de uma nova limpeza étnica e massacre colonial.

Para Ilan Pappé, o "aspecto mais imoral" da Resolução 181 da Assembleia Geral da ONU é que ela não previa qualquer mecanismo para impedir a limpeza étnica da Palestina. O movimento sionista já declarava abertamente, nos anos 1930, o seu desejo de desarabizar a Palestina[2]; e o primeiro plano de partilha, o Plano Peel, lançado pela Grã-Bretanha em 1937, previa a "transferência populacional" e foi recebido com revolta pelos palestinos. Com efeito, é muito improvável que os países que votaram a favor do Plano de Partilha em 29 de novembro de 1947 não soubessem que ele provocaria grandes movimentações populacionais. Pode-se dizer, como faz Pappé, que esses países "contribuíram diretamente para o crime que estava prestes a ocorrer"[3].

Os ataques a vilarejos e centros urbanos começaram na forma das assim denominadas "operações retaliatórias", lançadas pelas milícias Haganá, Irgun e Lehi (a última mais conhecida como Bando Stern) logo no início de dezembro de 1947, na sequência aos atos de vandalismo de palestinos contra ônibus e mercados nos protestos contra a partilha de seu território. Não obstante esporádicos, os primeiros ataques, ocorridos entre dezembro de 1947 e início de março de 1948, levaram ao êxodo de quase 75 mil palestinos[4]. Entre as primeiras operações esteve a lançada pela Irgun contra o vilarejo de Khisas, ao norte do

---

[2] Nur Masalha, *Expulsion of the Palestinians: The Concept of "Transfer" in Zionist Political Thought, 1882-1948* (Beirute, Institute for Palestine Studies, 1992).

[3] Ilan Pappé, *The Ethnic Cleansing of Palestine* (Oxford, Oneworld, 2007), p. 35 [ed. bras. *A limpeza étnica da Palestina*, trad. Luiz Gustavo Soares, São Paulo, Sundermann, 2012).

[4] O número é apresentado por Ilan Pappé e refere-se aos que foram afetados pelos ataques iniciais de dezembro a janeiro de 1948; ibidem, p. 40.

lago Hula, em 18 de dezembro de 1947, atacado no meio da noite com dinamite e explosivos. A Irgun matou quinze aldeões e expulsou o restante para além da fronteira mais próxima, com a Síria.

Mas o marco inicial da limpeza étnica da Palestina, para Ilan Pappé, ficou a cargo da ação da Haganá em Wadi Rushmiyya, bairro árabe de Haifa, também em dezembro de 1947. Haifa era uma cidade mista com 75 mil habitantes árabes e igual número de judeus. Na manhã seguinte à partilha, a população árabe da cidade foi submetida a uma campanha de terror promovida pela Irgun e pela Haganá. Os ataques empregaram bombas e barris de pólvora e explodiram as casas para que a população não tivesse para onde retornar. Foram vários episódios que levaram a população palestina a abandonar a cidade até que, em abril de 1948, sobrassem apenas 4 mil palestinos em Haifa. A cidade viu também o estabelecimento do primeiro gueto palestino em Israel[5].

Pappé destaca que tanto a versão dos historiadores israelenses tradicionais quanto a do revisionista Benny Morris estão muito longe da verdade ao retratar o caso de Haifa como um exemplo de boa vontade sionista para com a população palestina local[6]. Na análise dele, em fevereiro de 1948, já se constatava uma transição das "operações de retaliação" para operações de expulsão coercitiva. Além de muitos vilarejos terem sido esvaziados, às vezes vários por dia (Pappé cita uma ação que esvaziou cinco no mesmo dia), também o foram bairros inteiros das porções árabes de Jerusalém, Jaffa e a já mencionada Haifa, nos três primeiros meses de 1948, antes do início da guerra árabe-israelense propriamente dita, em 15 de maio.

Com efeito, a implementação do Plano Dalet (o plano de guerra sionista) em 10 de março de 1948 representou um divisor de águas[7]. Pappé demonstra que foi com base no mapeamento secreto da Palestina, empreendido pelo Fundo Nacional Judeu, e na formação dos "arquivos dos vilarejos", que o Plano Dalet traçou as regiões que

---

5 Tom Segev, *1949: The First Israelis* (Nova York, MacMillan, 1986), p. 53 e 56.

6 Ilan Pappé, *The Ethnic Cleansing of Palestine*, cit., p. 58.

7 A periodização surgida entre os "novos historiadores" facilita a compreensão do impacto que o Plano Dalet teve sobre a guerra. Essa periodização faz distinção entre três períodos: os meses iniciais, de dezembro de 1947 a março de 1948, quando os ataques e contra-ataques foram mais esporádicos; os meses de março a maio de 1948, quando foi colocado em execução o Plano Dalet e os ataques aos vilarejos e centros urbanos tornaram-se não apenas sistemáticos, mas operacionalmente guiados por instruções claras para cada batalhão referente a que região cairia sob seu comando e os métodos a serem empregados para executar a limpeza étnica; e os meses de guerra árabe-israelense, de maio de 1948 ao final desse ano, e os armistícios do início de 1949.

o movimento sionista deveria conquistar para além das fronteiras designadas pelo plano de partilha da ONU. Designou também o destino de 1 milhão de habitantes palestinos desses territórios[8] e os métodos a serem empregados para expulsá-los – segundo Pappé: cercar e bombardear vilarejos e núcleos populacionais; atear fogo às casas, propriedades e bens; expulsar os moradores; demolir as casas; e, finalmente, plantar minas nos destroços para impedir o retorno dos moradores expulsos. Cada unidade paramilitar recebeu uma relação específica de vilarejos e bairros que seriam seu alvo.

O Plano Dalet foi a quarta e última versão de planos anteriores que tinham descrito apenas vagamente como a liderança sionista pretendia lidar com a presença de tantos palestinos na terra que o movimento nacional judeu reivindicava. Nas palavras de Pappé, "o quarto e último traçado dizia clara e inconfundivelmente: os palestinos têm de sair". O historiador conclui ainda que, não obstante a muito citada ausência de uma ordem explícita de Ben-Gurion para a realização da limpeza étnica da Palestina – um dos argumentos empregados por Benny Morris para eliminar a hipótese da intencionalidade por trás da expulsão –, documentos dos arquivos das Forças de Defesa de Israel "mostram claramente que, ao contrário das afirmações de historiadores como Benny Morris, o Plano Dalet foi entregue aos comandantes de brigada não como uma diretriz vaga, mas como um conjunto de ordens operacionais de ação, claras e diretas"[9].

Para o historiador palestino Walid Khalidi, o objetivo do plano foi tanto quebrar a resistência palestina, como criar um fato consumado que nem a ONU, nem os Estados Unidos, nem os países árabes conseguiriam reverter. Isso explica, segundo ele, a velocidade e a virulência dos ataques aos centros populacionais árabes[10]. Passou a ser crucial, aos olhos de Ben-Gurion, acelerar a operação desde que os Estados Unidos sinalizaram que poderiam retirar seu apoio ao plano de partilha. Em fevereiro de 1948, dada a violência do conflito e a ideia de que o *yishuv* talvez não fosse capaz de instaurar e defender um Estado judeu, o Departamento de Estado estadunidense reconsiderou o seu

---

[8] Ilan Pappé, "The 1948 Ethnic Cleansing of Palestine", *Journal of Palestine Studies*, v. 36, n. 1, 2006, p. 16-7.

[9] Ibidem, p. 17.

[10] Walid Khalidi, "Palestine and Palestine Studies: One Century after World War I and the Balfour Declaration", *Journal of Palestine Studies*, v. 44, n. 1, Special Issue: Operation Protective Edge, outono de 2014, p. 139; disponível on-line.

apoio à partilha e, em 12 de março, apresentou uma nova proposta para a ONU, sugerindo a instauração de uma tutela internacional de cinco anos sobre a Palestina, para que ambas as partes chegassem a uma nova fórmula que suplantasse a desastrosa partilha. Os membros da ONU, reunidos na antiga sede de Flushing Meadows, Nova York, gostaram da ideia, mas, se ela não avançou, foi em boa medida devido a pressões do *lobby* sionista sobre o presidente Harry Truman. Como bem lembra Adel Manna: "Nesse momento crítico, a União Soviética optou por declarar seu firme apoio a favor da resolução de partilha e estabelecimento imediato de um Estado judeu. Ela ofereceu não apenas apoio político para o lado sionista, mas garantiu o fornecimento de armas pela Tchecoslováquia"[11].

À medida que o plano militar era executado, dezenas de milhares de palestinos eram forçados a marchar, levando apenas a roupa do corpo, formando rios de refugiados que inundavam os países árabes fronteiriços na esperança de em breve retornar. Manna argumenta, inclusive, que a população palestina da Galileia era ciente de sua completa falta de preparo e condições para se defender do ataque das milícias sionistas. Ele conta que o termo que se passou a empregar para dizer que um vilarejo tinha sido atacado e derrotado era que o vilarejo "caiu". Os palestinos da Galileia rejeitavam a ideia de que tivessem lutado uma guerra para a qual sequer estavam preparados; diziam que a aldeia ou o país "caiu" feito fruta madura do pé. O romance de Elias Khoury *Porta do sol* é centrado na Galileia e retrata esse sentimento quando Yunis, de seu leito no hospital, diz que "por Deus, não foi uma guerra, foi como um sonho": "Filho, não acredite que os judeus venceram a guerra de '48. Nós não lutamos em '48, nós não sabíamos. Eles venceram porque nós não lutamos. Eles também não lutaram: simplesmente venceram, foi como um sonho"[12].

Israel foi criada em 78% do território da Palestina histórica, e não nos 52% designados pela ONU. Nele permaneceram apenas cerca de 150 mil palestinos. A Faixa de Gaza recebeu 200 mil refugiados, cujos descendentes representam 70% da população atual. Outros 550 mil palestinos fugiram principalmente para a Cisjordânia, Jordânia, Síria e Líbano. O importante autor e defensor do direito de retorno Salman Abu Sitta foi expulso de Bersebá aos dez anos de idade, junto com

[11] Adel Manna, "Al-Nakba and Its Many Meanings in 1948", em *Nakba and Survival: The Story of Palestinians Who Remained in Haifa and Galilee* (Berkeley, University of California Press, 2022), p. 36.

[12] Elias Khoury, *Porta do sol* (trad. Safa Jubran, Rio de Janeiro, Record, 2008), p. 43.

sua família. Refugiou-se em Gaza e depois migrou para Londres, onde se formou engenheiro civil. Abu Sitta mapeou os 530 vilarejos palestinos esvaziados, destruídos e eliminados pelas invasões das milícias sionistas e do Exército de Israel, de finais de 1947 até os armistícios de 1949, e demonstrou que é falsa a ideia de que não há espaço para o retorno dos refugiados palestinos às suas terras e cidades de origem.

O percurso dos estudos historiográficos e recentes pesquisas em acervos militares e civis israelenses na década de 1980 enterraram as velhas narrativas sionistas relativas a um suposto "êxodo voluntário" dos palestinos. Na virada do século XXI, novas descobertas documentais do período do Mandato Britânico colocaram em xeque inclusive a versão de que a expulsão (agora amplamente aceita como fato histórico) dos palestinos existiu, mas teria sido consequência da guerra – ou que ela teria sido um objetivo sistematicamente perseguido durante a guerra e no contexto dela. A nova interpretação dizia que a guerra teve início no dia seguinte à aprovação da partilha da Palestina pela ONU, para pôr em prática um plano que previa a desocupação para a criação de um Estado étnico e majoritariamente judeu. Ou seja, o paradigma da guerra (como sendo a causa da expulsão dos palestinos) foi substituído pelo da limpeza étnica. Com ele, passou-se a entender que a guerra de 1948 foi empreendida para executar a limpeza étnica da Palestina, e que o Plano Dalet era efetivamente um plano para realizá-la. O plano foi colocado em ação em 10 de março, dois meses antes do início da primeira guerra árabe-israelense, em 1948.

Mais recentemente, os estudos da área passaram a empregar o termo "Nakba contínua" para referir-se ao fato de que o processo de expulsão, que teve seu auge em 1948, continua até os dias de hoje[13]. A limpeza étnica do Neguev foi realizada principalmente de 1948 a 1952. Em 1967, outros 350 mil palestinos foram deslocados da Cisjordânia. Fora dos períodos de guerra, o deslocamento forçado ocorre por outros meios: leis e dispositivos discriminatórios, invasão e roubo de casas palestinas por colonos radicais e ordenações da "administração

---

[13] Enquanto muitos expressaram a ideia de que a expulsão dos palestinos não terminou com a guerra em 1949, mas continuava em escala menor e menos intensa, Elias Khoury foi provavelmente o primeiro a elaborar o seu caráter contínuo. Para ele, a Nakba não terminou em 1949 nem foi reeditada em 1967, porque seria o próprio fio condutor de uma história em execução. Ex-combatente da liberdade, ou *fida'i* em árabe, ferido ao redor dos vinte anos de idade, o romancista libanês trocou o rifle pela caneta e passou a coletar os fragmentos de histórias palestinas e a tecer narrativas que registram o longo e ininterrupto sofrimento e resiliência desse povo. Ver, dele, "Rethinking the Nakba", *Critical Inquiry*, v. 38, n. 2 (Chicago, v. 38, n. 2, inverno 2012), p. 262.

civil" israelense que controla a Cisjordânia (de fato um governo militar), relativas às autorizações de utilização de terras. Há cerca de duas décadas, os beduínos do vale do Jordão são atacados e reiteradamente expulsos de suas terras. A "questão beduína" representa um dos recentes pontos focais da política de limpeza étnica e expansão territorial israelense na Cisjordânia.

O pensamento nacionalista árabe sob a influência de Constantine Zurayk – o historiador sírio que cunhou o termo al-Nakba e o empregou como título de seu livro de 1948 – interpretou a Nakba como um evento do passado e foi, assim, induzido a erros em momentos cruciais de sua história. O primeiro deles foi a estratégia nacionalista árabe de Gamal Abdel Nasser, que consistiu em aceitar as fronteiras de 1949 como uma realidade estanque que poderia ser futuramente resolvida pela via das armas. Não apenas esse dia nunca chegou, como a derrota de 1967, interpretada "com as ferramentas do passado"[14], foi vista como uma espécie de repetição do desastre. O segundo foi o processo de Oslo. Nesse caso, "a rendição palestina pressupunha que a Nakba estivesse no passado"[15]. Não sendo um evento do passado, mas sim um processo contínuo, Oslo tornou-se uma rendição e uma armadilha mortal para a liderança palestina.

A partir dos anos 2000, da falência dos Acordos de Oslo e da Segunda Intifada, vimos crescer, no campo da ascendente direita e extrema direita sionista, a tendência a se admitir com impressionante facilidade que a Nakba foi intencional[16], mas que lamentavelmente ela foi incompleta em 1948. Passou-se a vislumbrar a possibilidade de que novas levas massivas de palestinos fossem expulsos da Cisjordânia, de Jerusalém, ou de Israel propriamente dita. Ou seja, foi criada uma elaboração discursiva a favor da continuidade da limpeza étnica da Palestina. Pode-se dizer, como faz Elias Khoury, que essa seria uma "nova história sionista israelense". Nela, "as atrocidades de 1948 são lidas numa chave teológica que justifica a limpeza étnica como uma necessidade para evitar uma nova *Shoah*"[17].

O mesmo arcabouço argumentativo – de instrumentalização do antissemitismo e da memória do Holocausto – é empregado hoje para

[14] Ibidem, p. 256.

[15] Ibidem, p. 265.

[16] Avi Shlaim, "The Debate About 1948", *International Journal of Middle East Studies*, v. 27, n. 3, ago. 1995, p. 292.

[17] Elias Khoury, "Rethinking the Nakba", cit., p. 264.

justificar o pior momento do longo processo de eliminação do povo palestino de suas terras. As assertivas de que seria necessário "eliminar o Hamas para prevenir um novo Holocausto" foram empregadas, inclusive, para justificar que o governo israelense fizesse pouco caso dos reféns, em prol do alegado objetivo de defesa[18]. Em última instância, a instrumentalização da memória do Holocausto para justificar o que se reconhece como um novo genocídio corre o sério risco, segundo Enzo Traverso, de prejudicar essa memória[19].

Não devemos em absoluto ignorar que o antissemitismo jamais deixou de existir. Ele continua presente na retórica de certos grupos neonazistas e neofascistas, com consequências nefastas e violentas, ou mesmo em expressões populares. Mas os grandes partidos da extrema direita europeia, como o Rassemblement National de Marine Le Pen, entre outros, adequaram a velha retórica antissemita, substituindo-a por um racismo contra muçulmanos e árabes combinado com um apoio total ao Estado de Israel. Proliferam teorias conspiratórias sobre uma suposta tomada da Europa e a subversão da sua cultura por imigrantes árabes e muçulmanos[20]. Mas isso não significa a substituição pura e simples do antissemitismo pela islamofobia. As duas vertentes de pensamento racista coexistem na Europa, principalmente desde as décadas de descolonização.

Tampouco devemos ignorar que a indignação de pessoas comuns ao redor do mundo contra o chocante morticínio da população palestina corre o risco de transbordar em expressões de preconceito e raiva contra judeus, na medida, principalmente, em que o Estado de Israel se arroga a posição de representante mundial dos judeus. Essa posição foi rejeitada por mais de 17% dos judeus estadunidenses, que em 2019-20 já diziam que o Estado de Israel não era importante para a sua identidade judaica. Outros 37% declararam que era importante, mas "não essencial"[21]. Desde outubro de 2023, cresce esse distanciamento. Ao mesmo tempo, reconhecer a permanência nociva do antissemitismo não significa aceitar a retórica do "novo antissemitismo" defendida pela International Holocaust Remembrance Alliance, que

---

18 Jamie Dettmer, "How the Holocaust Shapes Israel's War in Gaza", *Politico*, 2 fev. 2024.

19 Enzo Traverso, "On Islamophobia and Antisemitism", *Verso Blog*, 16 ago. 2016.

20 Ideias articuladas em alguns livros, notadamente *Submissão*, de Michel Houellebecq (trad. Rosa Freire Aguiar, São Paulo, Alfaguara, 2015).

21 Justin Nortey, "U.S. Jews Have Widely Differing Views on Israel", *Pew Research Center*, 21 maio 2021.

classifica toda crítica ao Estado de Israel, seu governo e suas políticas, como uma nova forma de antissemitsmo[22].

Feitas as necessárias considerações, o fato é que falar sobre uma suposta "volta do antissemitismo" tornou-se a melhor maneira de não falar sobre o genocídio palestino. A questão em foco não é o antissemitismo, que deve ser reconhecido e combatido, mas aquilo que o discurso do antissemitismo tenta ocultar e até mesmo justificar. Fazendo coro ao alerta de Traverso, "se uma guerra genocida é lançada em nome da 'luta contra o antissemitismo', são os nossos valores éticos e normas políticas que saem manchados: os pressupostos da nossa consciência moral – a distinção entre opressor e oprimido, perpetradores e vítimas – correm o risco de serem virados de ponta-cabeça"[23].

Após Gaza, o significado da Nakba na história palestina ganhou uma nova conotação. Saem fortalecidas as pesquisas de Ilan Pappé, bem como de Nur Masalha, que demonstram a preparação da limpeza étnica de 1948, chegando à conclusão de que a da guerra de 1947-49 foi o meio encontrado para realizá-la. Da mesma forma, a visão de Elias Khoury, que enxergou e articulou o caráter contínuo da Nakba. Mais que isso, Gaza instaura o paradigma do genocídio na história da Palestina, que ultrapassa aquele da limpeza ética. Gaza, assim, não é a culminação nem o fim de um processo, e muito menos a exceção a ele. Desde os escritos de Tareq Baconi nos anos 2010, entendemos que Gaza aponta a direção da história palestina.

Não será fácil voltar a pensar em soluções em prol da convivência pacífica na região a partir do genocídio que hoje se vive na Faixa de Gaza e que deixará sua marca irreparável por gerações. Sugiro olhar primeiro para o passado, para entender, honestamente, como chegamos até aqui, para onde aponta o curso da história e qual o tamanho do desafio pela frente. A grande diferença entre a resistência argelina que livrou seu país de mais de cem anos de colonialismo francês e a resistência palestina (hoje liderada pelo Hamas, gostemos ou não) é que o israelense não tem para onde regressar. Isso nos obriga a pensar e apelar por soluções conjuntas e em prol da convivência. Mas elas só poderão surtir efeito onde houver um reconhecimento profundo do sentido da Nakba e das injustiças historicamente perpetradas contra os palestinos.

[22] Neve Gordon, "Antisemitism and Zionism: The Internal Operations of the IHRA Definition", *Middle East Critique*, 22 mar. 2024.

[23] Ver Enzo Traverso, *Gaza Faces History* (Nova York, Other Press, 2024).

Esqueci de morrer

pensando a reprodução social da vida palestina*

TITHI BHATTACHARYA

Mesmo antes do ataque do Hamas em 7 de outubro, diversas fontes da mídia chamaram 2023 de "o ano mais mortal já registrado" para os palestinos na Cisjordânia. As forças israelenses assassinaram 395 palestinos na Cisjordânia naquele ano, enquanto os colonos foram responsáveis por mais nove mortes. Embora assassinatos como esses sejam a interrupção direta da vida, Israel ainda pratica outras formas de violência – como ataques a hospitais e escolas –, que impedem as práticas de produção da vida (*lifemaking*) dos palestinos. Na Palestina, essa guerra declarada é uma escalada espaço-temporal de uma guerra lenta e contínua já em curso contra seu povo.

Neste artigo, usando as lentes da teoria da reprodução social (TRS), mostro que a perturbação (por meio de políticas) ou a aniquilação (por meio da violência) da vida palestina é inerente ao projeto sionista. Consequentemente, no atual ciclo de violência, Israel tem como alvo dois tipos de capacidade de reprodução social: instituições de reprodução social, tais como escolas e hospitais; e a geração futura, ou seja, as crianças. Israel quer erradicar tanto a vida quanto a capacidade de reproduzir uma vida futura. Por isso um cessar-fogo só pode ser uma exigência básica. O florescimento da vida na Palestina exige mais do que a cessação da matança; exige o que Marx considerava a realização do ser genérico. A criatividade ineliminável da resistência palestina lança a maior luz sobre o que o ser genérico pode, e de fato deve, significar.

* Publicado originalmente na revista *Spectre*, 22 mar. 2024. A tradução é de Maria Izabel Lagoa e Antonio Carlos Mazzeo.

Repensando a construção da vida por meio de Marx

As feministas da teoria da reprodução social usaram a formulação *produção da vida* para identificar as várias maneiras pelas quais os seres humanos trabalham para transformar a natureza a fim de garantir sua própria manutenção e satisfazer suas necessidades. Utilizo o conceito para entender as comparações, conexões e consequências afetivas existentes entre os pontos nodais da violência sionista, tanto direta quanto indireta. Para reconhecer as continuidades entre a agressão militar e a contensão militarizada da vida palestina, precisamos começar a partir da desestabilização, vulnerabilização e aniquilação das capacidades palestinas de reprodução social. O conceito de *produção da vida* nos fornece o tecido conectivo analítico entre os elementos.

Nos *Manuscritos econômico-filosóficos*, de 1844, Marx nos conduz por uma cuidadosa distinção entre trabalho alienado e não alienado. O primeiro, sob direção capitalista, tem uma aparência "externa ao trabalhador", enquanto o segundo faz da "sua atividade vital mesma um objeto da sua vontade e da sua consciência"[1]. Como seres humanos, somos determinados: não nos fundimos com nosso trabalho (como faz uma aranha). Muitos marxistas se concentram em comida, abrigo e assim por diante quando citam os produtos resultantes da ação humana sobre a natureza. Marx, no entanto, via essas necessidades básicas da produção de vida como exemplos limitados. O que é, então, a produção de vida em um sentido não restritivo?

Marx usa a palavra *espiritual* vinte e duas vezes nessa obra. Ele define o trabalho humano como uma forma de atividade na qual "toda a diversidade natural, espiritual e social da atividade individual sobressai"[2]. O que mais o impressiona é a deliberação e a universalidade do trabalho humano, em que trabalhamos não "apenas sob o domínio da carência física imediata", mas até mesmo quando estamos "livre da carência física" e, portanto, "só produz[imos], primeira e verdadeiramente, [em] liberdade"[3].

A distinção entre a produção da vida por meio de regimes capitalistas de trabalho e a produção da vida sob condições de liberdade é um tema persistente em Marx. Ele usou uma estrutura aristotélica, mediada por Hegel, para discutir as liberdades formais, que estão

[1] Karl Marx, *Manuscritos econômico-filosóficos* (trad. Jesus Ranieri, São Paulo, Boitempo, 2004), p. 83-4

[2] Ibidem, p. 25.

[3] Ibidem, p. 85.

presentes no capitalismo, e a falta de liberdade e a alienação que se ocultam sob elas. Marx concordava com os teóricos liberais que a condição da liberdade era histórica e que, mesmo em seus processos preliminares, ela tinha de ser fundamentada nas necessidades básicas da produção da vida. Assim, ele argumentou que "o reino da liberdade só começa onde cessa o trabalho determinado pela necessidade e pela adequação a finalidades externas"[4].

Seguindo Marx, podemos discernir uma clara distinção entre viver e florescer. No primeiro caso, temos uma forma de produção da vida sob condições capitalistas de liberdades formais, mas trabalho alienado. No segundo, uma forma de produção da vida que vai de encontro ao nosso genérico.

Embora essa distinção seja nítida em Marx, também está claro que na vida cotidiana sob o capitalismo frequentemente temos um vislumbre do que estou chamando de florescimento. Se o trabalho alienado é aquele que é imposto por uma força externa ao trabalhador, então o trabalho não alienado é aquele que é escolhido livremente e autodeterminado pelo próprio trabalhador. Dentro do contexto geral da alienação sistêmica, ainda cuidamos de nossas plantas/animais/crianças, criamos arte e fazemos ótimo sexo – todas formas de trabalho em que nos envolvemos com *relativa* liberdade. Nos *Grundrisse*, Marx se refere a trabalhos como a composição de música como "efetivamente livres", que exige o "mais intenso esforço" e é "ao mesmo tempo da maior seriedade"[5].

Assim, quando a poeta feminista palestina Rafeef Ziadah escreve: "Nós, palestinos, acordamos todas as manhãs para ensinar a vida ao resto do mundo", leio isso como uma teorização contundente da política de produção da vida. Leio essas palavras como um chamado para se explorar o que acontece com a produção da vida, no sentido de viver e florescer, na Palestina.

Nakba e produção da vida

Israel emprega três estratégias gerais em face da vida palestina: expulsão, extermínio geracional intencional e controle da fertilidade palestina. Embora o colonialismo de assentamento, como estrutura analítica,

[4] Karl Marx, *O capital: crítica da economia política*, Livro III: *O processo global da produção capitalista* (trad. Rubens Enderle, São Paulo, Boitempo, 2017), p. 882.

[5] Idem, *Grundrisse: manuscritos econômicos de 1857-1858. Esboços da crítica da economia política* (trad. Mario Duayer, Nélio Schneider, Alice Helga Werner e Rudiger Hoffman, São Paulo, Boitempo, 2011), p. 509.

explique esse projeto biopolítico do sionismo, a TRS e seu conceito expansivo de produção de vida nos permitem documentar as diversas maneiras pelas quais o Estado sionista tenta impedir que os palestinos não apenas permaneçam vivos, mas que também permaneçam humanos[6].

O brilhante conceito de *debilidade* de Jasbir Puar nos é útil aqui. Por meio de um estudo comovente da vida negra e palestina, Puar nos oferece uma teorização da economia política da capacidade corporal. De acordo com Puar, os mecanismos opressivos do Estado colocam a morte e a debilidade em uma relação produtiva entre si. Os Estados se reservam o direito de serem os únicos promotores da morte, mas Puar mostra que não matar palestinos não é um gesto "humanitário de poupar da morte", e sim um movimento para torná-los "sistemática e totalmente debilitados" – é "uma articulação e um uso biopolítico do direito de mutilar". Essa debilitação constante cria um "regime de poder asfixiante" que se estende no espaço e no tempo por meio de intrincadas relações sociais de violência e ocupação[7].

O conceito de debilidade de Puar deve ser ampliado para incluir a mutilação das instituições de produção de vida. Essa ideia está implícita em Puar quando ela discute a "guerra de infraestrutura" ou o ataque de Israel à infraestrutura como "um componente essencial, até mesmo central, da regulação biopolítica de um colapso humanitário maleável". Ela se baseia no trabalho realizado por Omar Jabary Salamanca, reproduzindo sua referência ao político israelense Dov Weissglas, que descreve a política de Israel como "uma consulta com um nutricionista. Os palestinos ficariam um pouco mais magros, mas não morreriam"[8]. É o caráter *contínuo* desse ataque à produção de vida, desse poder asfixiante e desse definhamento que espero capturar aqui.

A diferença no nascer

Uma abordagem biopolítica praticamente oposta é reservada para a população judaica de Israel. Desde 1948, Israel tem consagrado políticas pró-natalistas em suas inúmeras instituições, constituindo um regime reprodutivo por meio de recompensas monetárias e comitês que garantem uma taxa de natalidade crescente. Teóricas críticas como Sigrid

6 Tings Chak e Pavel Égüez, "Not Only to Stay Alive, but to Stay Human: An Interview with Pavel Égüez", *Tricontinental*, 23 jun. 2020.

7 Jasbir Puar, *The Right to Maim: Debility, Capacity, Disability* (Durham/Londres, Duke University Press, 2017), p. 108 e 135.

8 Ibidem, p. 135.

Vertommen e Nira Yuval Davis acompanharam essas iniciativas, tais quais o Prêmio Heroína de 1949 para mães com dez filhos, o Centro Demográfico de 1968 com seu Fundo de Incentivo à Natalidade e, mais recentemente, o Conselho Israelense de Demografia de 2002[9]. Meira Weiss também observou a veia profundamente eugenista do sionismo que, historicamente, por meio de uma "revolução corporal", visava "criar um novo povo adequado a uma nova terra". O corpo judeu ideal que emergiu dessas políticas era "masculino, judeu, asquenaze, perfeito e sadio" – um corpo que Weiss denomina "o corpo escolhido"[10].

Enquanto isso, todas as mães em Israel têm direito à licença-maternidade e um grande número delas a um auxílio-maternidade. Os cidadãos de Tel-Aviv falam da cidade como sendo "conhecida por seus mimos para as novas mães"[11]. Os cafés da cidade realizam "atividades diárias 'mamãe e eu', como artes e artesanato, fisioterapia e massagens, e oficinas de amamentação e sono". Como parte desse florescimento, a criança israelense judia tem a garantia de uma educação pública gratuita em um sistema escolar que ocupa o quinto lugar no mundo (à frente dos Estados Unidos e do Reino Unido)[12].

Atualmente, duas grandes tecnologias moldam a biopolítica sionista, uma agrupada em torno da fertilidade e da maternidade e a segunda em torno do diagnóstico fetal. Embora as tecnologias de reprodução assistida (TRA) sejam proibitivamente onerosas em outros lugares, em Israel elas são gratuitas. Em 2010, o Parlamento israelense aprovou a controversa Lei de Doação de Óvulos, que permite que mulheres doem seus óvulos em troca de compensação financeira, permitindo assim que mulheres inférteis solicitem óvulos doados. Entretanto, as emendas à lei estipulam que a doadora e a receptora do óvulo compartilhem a mesma religião, tornando impossível para uma mulher judia doar um óvulo para uma muçulmana, cristã ou drusa, e vice-versa.

---

[9] O Prêmio Motherhood foi suspenso em 1959 quando o governo percebeu que eram principalmente as mães palestinas que estavam reivindicando a recompensa. Ver Daiva Stasiulis e Nira Yuval-Davis (orgs.), *Unsettling Settler Societies: Articulations of Gender, Race, Ethnicity and Class* (Londres, Sage, 1995); Sigrid Vertommen, "From the Pergonal Project to Kadimastem: A Genealogy of Israel's Reproductive-Industrial Complex", *Biosocieties*, v. 12, n. 2, 2017, p. 282-306.

[10] Meira Weiss, *The Chosen Body: The Politics of the Body in Israeli Society* (Stanford, Stanford University Press, 2002), p. 1-4.

[11] Teddy Weinberger, "Maternity Leave in Israel", *Jewish Herald-Voice*, 28 dez. 2023; disponível on-line.

[12] "World's Most Educated Countries and Their Main Common Characteristics", *Erudera*, 5 out. 2022; disponível on-line.

O segundo conjunto de tecnologias surge após a concepção. As mulheres israelenses judias lideram o mundo em medicalização do parto e vigilância fetal, sendo que 60% delas são submetidas a testes de diagnóstico pré-parto. Os pais e mães israelenses tendem a optar pelo aborto mesmo em casos de "deficiência" corporal menor, como lábio leporino, o que levou Weiss a comentar que a "obsessão israelense com a fertilidade diz respeito não apenas a quantidade, como também qualidade".

É claro que a reprodução social da produção de vida israelense não se limita apenas às tecnologias de nascimento. Toda uma infraestrutura social e estatal garante o florescimento da vida israelense e a aniquilação/debilitação da vida palestina. Os métodos de debilitação variam em toda a Palestina histórica. A fragmentação intencional da Palestina em diferentes regimes de controle garante a violência diária sobre os palestinos nesses territórios não reconhecidos, levando à avaliação de Noura Erakat de que Israel tenta realizar em Gaza, "por meio da guerra, o mesmo que tenta fazer na Cisjordânia por meio da marcial, em Jerusalém Oriental por meio da legislação administrativa, na Palestina histórica por meio do direito civil"[13]. De maneiras diferentes, e combinadas umas com as outras justamente por causa dessa diferença, as estratégias de Israel excluem à força o florescimento palestino ao controlar os principais caminhos para a produção de vida.

Órgãos internacionais, como a ONU e o Banco Mundial, usam determinadas métricas para julgar o que eles chamam de *desenvolvimento* – o que estou chamando de *florescimento*. O acesso a alimentos, água potável, moradia, saúde e educação são usados como registro de avaliação mais comum. Na Palestina, o acesso a cada um desses itens é produzido por meio de tecnologias coloniais. Além disso, embora esses registros formem um tipo de "lista", quero chamar a atenção para como Israel possui um modelo de operações generalizável, que forma a estrutura na qual todos eles se encaixam. Em outras palavras, Israel organiza o espaço e as pessoas de maneiras específicas, que garantem o crescimento e a consolidação do poder colonial.

Viver *versus* florescer

Os estudos anticoloniais nos ensinaram que as paisagens são compostas por políticas que produzem a natureza não apenas como

[13] Sai Englert, Michal Schatz e Rosie Warren (orgs.), *From the River to the Sea: Essays for a Free Palestine* (Nova York, Verso, 2023), p. 13.

o local do trabalho humano, mas também como uma categoria do pensamento e da imaginação. Considere o lugar do peixe na Palestina. O sabor e o cheiro do peixe estão na arquitetura celular da história palestina. Os contos populares tecem essas histórias em narrativas sobre o Rei Peixe, enquanto o endro, o alho e as pimentas transmitem essa história aos sentidos. No entanto, as águas que banham Gaza não são neutras nem isentas de enquadramentos coloniais. Os pescadores de Gaza só têm permissão para pescar a seis milhas náuticas ou até menos da costa, quando a maioria dos peixes está a pelo menos nove milhas no alto-mar. Oceanos, desertos, rochas e peixes só podem se relacionar com os palestinos por meio do controle israelense, criando assim, antes de tudo, o que Elizabeth Povinelli chamou de "geontologias" do poder colonial[14].

Em 1967, Israel decretou que os palestinos não poderiam construir nenhuma nova instalação de água sem uma licença. Ainda é impossível obter essas licenças, o que impede os palestinos de perfurar poços ou instalar bombas. O rio Jordão, em cujo vale estão enterrados alguns dos companheiros mais leais do profeta Maomé, agora funciona como uma ferida na produção de vida dos palestinos, pois eles são impedidos de acessar suas águas: mais de 180 comunidades rurais palestinas na Cisjordânia ocupada não têm acesso à água.

A situação é ainda mais terrível em Gaza, onde a água potável é "tão salgada quanto o mar"[15]. Além disso, desde 2007, Israel tem mantido as crianças palestinas em Gaza no que as IDF (Forças de Defesa de Israel, na sigla em inglês) chama de "dieta de fome". Cerca de 80% das crianças de Gaza sobrevivem com menos de um dólar por dia e, como consequência, uma parte significativa delas passa fome diariamente, pois seu acesso a calorias suficientes tem diminuído devido ao cerco contínuo[16].

Ao mesmo tempo que os postos de controle mutilam o território, inúmeras crianças palestinas precisam se deslocar por longas distâncias para chegar à escola mais próxima. As escolas árabes recebem recursos que são, em média, 40% inferiores às do ensino hebraico (por

[14] Elizabeth Povinelli, *Geontologies: A Requiem to Late Liberalism* (Durham, Duke University Press, 2016).

[15] "Timeline: The Humanitarian Impact of the Gaza Blockade", Oxfam International, 2018; disponível on-line.

[16] Dr. Ghannam citado em Hashem Said e Zahriyeh Ehab, "Gaza's Kids Affected Psychologically, Physically by a Lifetime of Violence", *Al Jazeera*, 31 jul. 2014.

estudante). Em 2018, o Knesset israelense aprovou a Lei do Estado-nação, que revogou o estatuto de idioma oficial do árabe, forçando a criança árabe a viver uma vida exofônica.

Os palestinos são, portanto, incessantemente reproduzidos como alguém fora do lugar em sua terra natal. Até mesmo as estradas decretam e garantem a exclusão racial. A cor das placas determina a mobilidade: carros com placas palestinas não são permitidos nas estradas israelenses, independentemente da identificação do motorista. Um muro de *apartheid* e vários postos de controle contribuem para criar um labirinto delirante de legalidade por toda a terra mutilada onde, em cada ponto de contato com o Estado israelense, o palestino é jurídica e emocionalmente reproduzido como um estranho.

Essas políticas diferenciadas de reprodução social produzem resultados gritantes: mais da metade das famílias árabes foram consideradas pobres em 2020, em comparação com 40% das famílias judias[17]. Aqui, quero enfatizar a relação colonial como produtiva e generativa, em vez de estática. Ela se reproduz não apenas por meio de leis e políticas estatais, mas por meio de uma segmentação, ordenação e fechamento sistêmico de todo o corpo social.

"Esquecendo de morrer"

Atualmente, Israel expressa a quintessência do capitalismo global. O compromisso do Estado com o controle não hegemônico, seu envenenamento da ecologia Palestina e sua rejeição aberta à maioria das formas de democracia refletem a essência sistêmica do capitalismo quando despojado das formas burguesas. O florescimento da vida judaico-israelense contém um outro propósito e uma função que vai além da expulsão dos palestinos do corpo social. Esse florescimento – as belas avenidas, os gramados bem regados – permite que a sociedade israelense emule minuciosamente o Ocidente, ensaiando assim os antigos estereótipos orientalistas do Ocidente civilizado contra o Oriente bárbaro. Essa identificação também faz com que o Ocidente simpatize mais com a produção israelense da vida e que, nos livros de contabilidade do Ocidente, o valor da vida israelense continue cotado muito acima da vida palestina.

Neste artigo, tentei mostrar por que as infraestruturas da produção da vida na Palestina são única e intensamente políticas e como

[17] Jack Khoury, Bar Peleg, Ido Efrati e Shira Kadari-Ovadia, "Five-year Plan for Israel's Arab Community: $9 Billion Won't Bridge a Gap Decades in the Making", *Haaretz*, 28 out. 2021.

o florescimento da vida israelense está relacionado à debilitação da produção da vida palestina. O conto de Ursula K. Le Guin "The Ones Who Walk Away from Omelas" [Aqueles que abandonam Omelas] captura essa relacionalidade violenta. Na história, somos apresentados a uma cidade de conto de fadas, Omelas, onde a vida é perfeita e abundante para todos os seus cidadãos. Omelas, no entanto, abriga um segredo. Enterrada na cidade está a única atrocidade dessa sociedade, uma criança mantida em constante miséria e estado de abjeção. Quando os cidadãos chegam a certa idade, são informados dessa verdade sobre sua prosperidade, e a maioria acaba aceitando isso como um sacrifício necessário para seu florescimento; alguns efetivamente abandonam Omelas, mas a maioria opta por permanecer. As imagens de civis israelenses se regozijando ao bloquear a entrada de caminhões de ajuda em Gaza deveriam resgatar o *insight* de Le Guin e perturbar a compreensão convencional da violência colonial.

Mas se essa comparação com Omelas é bastante válida para os israelenses, ela decisivamente não dá conta de representar a condição palestina, pois os palestinos estão mais distantes daquela criança fictícia. Em vez disso, são um povo que mais se aproxima da definição de ser genérico de Marx, com a qual começamos este ensaio.

O militante sul-africano Barry Vincent Feinberg observou certa vez que "um número excepcionalmente grande de poemas provém de poetas palestinos". Um poeta palestino, em resposta ao comentário de Feinberg, respondeu: "A única coisa que nunca foi negada ao meu povo é o direito de sonhar"[18]. Essa é uma característica extraordinária, porém consistente, da vida palestina, apesar de cem anos de violência colonial.

As palavras do poeta palestino, como as de muitos outros poetas, contêm uma contradição brilhante. Por um lado, a arte palestina narra a violenta expulsão/controle dos palestinos do/no corpo social, mas, por outro lado, a existência dessa arte em condições de debilidade é uma rejeição à deportação palestina. Essas expressões da vida palestina na arte e na vida cotidiana devem nos levar a refletir sobre a afirmação de Marx de que composição musical era "trabalho efetivamente livre" e que esse trabalho constituía um *leitmotiv* contínuo *dentro e apesar* da alienação capitalista.

A Palestina de hoje, eu defendo, atualiza essa tensão humana irreprimível no interior do capitalismo – uma razão pela qual, assim

[18] Feinberg relata essa troca com "um jovem poeta palestino" em Londres no início de um artigo publicado na revista afro-asiática *Lotus*, no final de 1974.

como as rebeliões de escravos na época de Marx e a resistência dos vietnamitas na década de 1960, a luta palestina ressoa hoje com uma ampla faixa de oprimidos que veem sua própria luta ou sua humanidade sendo articulada na luta dos palestinos.

Os colonizadores sionistas conheciam bem o poder da humanidade palestina. O general Moshe Dayan disse certa vez que ler um poema de Fadwa Tuqan era como "enfrentar vinte comandos inimigos". Era assim que Tuqan falava da Palestina:

> nossa terra tem um coração palpitante,
> não para de bater e perdura
> o insuportável. Guarda os segredos
> das colinas e úteros. Esta terra brotando
> com espinhos e palmeiras também é a terra
> que dá à luz um guerreiro da liberdade.
> Esta terra, minha irmã, é uma mulher.[19]

Esse "sonho" de Palestina está, obviamente, muito além das energias criativas formais (como a composição de poesia ou música), mas é um sonho de retorno, de pátrias e de histórias – indicando, assim, um conjunto de trabalhos conscientes e intencionais para sustentar esse "sonho". Tal trabalho "racional", visando à plenitude do florescimento humano, é essencialmente o ser genérico da humanidade. Bertell Ollman indica que o mais próximo que Marx chega de definir a "natureza humana em geral" é quando ele diz que "o caráter inteiro de uma espécie, seu ser genérico [...] encontra-se no caráter da sua atividade vital; e o caráter genérico do homem é a atividade livre e consciente"[20]. Como podemos chamar um povo que constantemente, incessantemente, apesar de todas as tentativas contra ele, continua a realizar "atividade livre e consciente"? Em outra época e lugar, nós os chamávamos de escravos revoltados ou vietnamitas resistentes. Hoje, sem dúvida, nós os chamamos de palestinos. Ou de um povo que, a despeito da violência e da desapropriação constantes, continua a expressar o instinto essencial da humanidade, que é ser livre. Nas palavras de Mahmoud Darwish: "Uma mulher soldado gritou:/ É você de novo? Eu não matei você?/ Você me matou... e eu esqueci, como você,/ de morrer"[21].

[19] Fadwa Tuqan, "Hamza".

[20] Bertell Ollman, *Alienation: Marx's Conception of Man in Capitalist Society* (Cambridge, Cambridge University Press, 1977), p. 109.

[21] Mahmoud Darwish, "In Jerusalem".

Descolonizando a saúde mental

considerações sobre a Palestina ocupada*

SAMAH JABR

A abordagem ocidental sobre saúde mental, amplamente aceita e praticada por profissionais palestinos, muitas vezes não se encaixa nas realidades psicológicas peculiares da vida na Palestina. Essa dissonância decorre de várias lacunas críticas entre as estruturas psicológicas ocidentais e as experiências vividas pelos palestinos sob ocupação. Neste texto, abordamos o colapso da infraestrutura de saúde mental de Gaza, exacerbado pela violência militar contínua, e criticamos a definição de saúde mental da Organização Mundial da Saúde (OMS) e o uso de diagnósticos de transtorno de estresse pós-traumático (TEPT), em especial em contextos de trauma histórico e colonial. Além disso, enfatizamos a necessidade de uma mudança de paradigma em direção a uma compreensão mais cultural e contextualmente relevante da saúde mental e suas práticas.

O colapso da infraestrutura de saúde mental de Gaza

Apesar do histórico de escasso apoio financeiro governamental e investimento em funcionários, Gaza tinha um sistema de saúde mental funcional e eficaz, com serviços integrados às escolas e à atenção primária à saúde. Centenas de médicos e enfermeiros foram treinados para prestar primeiros socorros psicológicos e implementar o Guia de Intervenção Humanitária do Programa de Ação para Reduzir as Lacunas em Saúde Mental da OMS.

* Tradução de Maria Izabel Lagoa, com revisão de Antonio Carlos Mazzeo.

No entanto, o bombardeio constante em Gaza torna impossível encontrar um local seguro, e a falta de alimentos, água, combustível e eletricidade impede o atendimento das necessidades humanas básicas. Ao longo dos últimos meses, o sistema de saúde mental, que antes funcionava, encolheu progressivamente, com todos os centros de saúde mental comunitários públicos destruídos ou fechados e o hospital psiquiátrico de internação tornado inoperante pelos bombardeios. A teleterapia é inviável devido à instabilidade das conexões de internet, levando a um colapso total dos serviços de saúde mental. O quadro de profissionais de Gaza, acostumado às circunstâncias restritivas do cerco de longa duração, agora enfrenta um trauma ainda mais profundo. Muitas vezes, os terapeutas não possuem mais do que a roupa do corpo e precisam se mudar com frequência, enquanto a perda de entes queridos afeta quase todos.

Reconsiderações conceituais

A OMS define saúde mental como "um estado de bem-estar em que o indivíduo realiza suas potencialidades, supera o estresse normal da vida, trabalha de forma produtiva e frutífera e contribui de alguma forma para sua comunidade". Embora essa definição tenha pontos fortes, suas limitações são bem evidentes quando ela é aplicada aos territórios palestinos sob ocupação, com o risco de categorizar muitos como "doentes mentais". Essa definição enfatiza o bem-estar e a produtividade individuais, podendo negligenciar os aspectos coletivos e comunitários da saúde mental, cruciais na sociedade Palestina. Ela pressupõe um parâmetro de "estresse normal" que não leva em conta os estresses extraordinários e crônicos sofridos pelas pessoas que vivem em lugares como Gaza.

Na Palestina, a capacidade de realizar o seu potencial e trabalhar de forma produtiva é fortemente influenciada por condições externas, como a destruição das infraestruturas, as altas taxas de desemprego e o bloqueio. Esse aspecto da definição exclui a maioria dos palestinos. Ainda que contribuir para a própria comunidade seja importante, a capacidade de fazer isso é frequentemente limitada pelo ambiente sociopolítico e econômico. A definição da OMS não leva em conta o impacto da ocupação prolongada e da opressão sistêmica nem aborda traumas históricos e intergeracionais, que são essenciais para a compreensão da saúde mental nos territórios palestinos.

Consideramos a saúde mental como um elemento complexo e multidimensional do bem-estar, profundamente determinado por fatores sociais, econômicos e políticos. Ela abrange um amplo espectro de condições, que vão além de transtornos mentais e incluem dimensões relacionais, sociais e diversas esferas da vida. Portanto, o tratamento eficaz da saúde mental requer não apenas intervenções focadas no indivíduo, mas também uma abordagem coordenada que considere essas questões sistêmicas mais gerais. Fundamentalmente, a saúde mental deve ser vista como uma interação dinâmica entre as experiências individuais e o contexto social e político mais abrangente, ressaltando a necessidade de uma abordagem ampla, sensível ao contexto e centrada nos direitos em relação à saúde mental e ao bem-estar.

O diagnóstico de TEPT em contextos de traumas históricos e coloniais

Em contextos de trauma histórico e colonial, como os territórios palestinos, o diagnóstico de TEPT levanta uma série de problemas significativos. A natureza individualista do diagnóstico, sua capacidade limitada de captar traumas coletivos e contínuos e seu potencial de despolitizar e patologizar respostas à opressão e à violência são alguns desses problemas. O modelo ocidental de TEPT não leva em conta adequadamente os aspectos comunitários do trauma vivenciado pelos palestinos, cujo sofrimento é compartilhado por famílias, comunidades e gerações.

O diagnóstico de TEPT tende a enfatizar eventos traumáticos pontuais com um início e um fim claros, em vez de estressores contínuos e generalizados. No contexto palestino, o trauma é deliberado e estratégico; não se trata de um incidente isolado, mas de uma experiência contínua decorrente da ocupação prolongada, dos sucessivos ataques militares e da opressão sistêmica. O conceito de "estresse traumático contínuo" foi proposto para capturar melhor essas experiências, mas ainda não está totalmente integrado à prática psiquiátrica convencional.

O diagnóstico de TEPT em contextos de violência política pode, inadvertidamente, despolitizar o trauma ao enquadrá-lo como um problema de saúde mental de caráter particular, em vez de uma resposta compreensível à injustiça sistêmica. Essa medicalização do sofrimento corre o risco de obscurecer as raízes políticas e históricas do trauma. O diagnóstico de TEPT pode patologizar respostas naturais e adaptativas ao estresse e à violência extremos. Em um contexto em que o medo, a hipervigilância e a agressão podem ser necessários para a sobrevivência, rotular essas respostas como sintomas de um distúrbio pode ser inadequado e prejudicial. Essa atitude ignora a resiliência e as estratégias de enfrentamento desenvolvidas por indivíduos e comunidades que enfrentam ameaças contínuas.

A estrutura do TEPT também não consegue captar a transmissão intergeracional do trauma histórico. Para os palestinos, a Nakba e as décadas subsequentes de ocupação deixaram cicatrizes profundas, que afetaram não apenas aqueles que viveram esses eventos, mas também seus descendentes. Poderíamos entender melhor o trauma na população palestina através da *estrutura do trauma histórico colonial*.

Uma mudança de paradigma na saúde mental Palestina

O modelo de pesquisa ocidental baseado em evidências científicas é considerado o padrão ouro dos programas de tratamento, exigido por ONGs e doadores internacionais que financiam programas clínicos na Palestina. No entanto, as evidências de outros países são coletadas em contextos com tempo e dinheiro para investir em estudos controlados e randomizados – luxos não disponíveis em situações de emergência ou em países com recursos limitados. As evidências que comprovam a eficácia de abordagens como a EMDR [Dessensibilização e Reprocessamento por meio de Movimentos Oculares, na sigla em inglês] para o tratamento de traumas no Ocidente podem não funcionar bem na Palestina.

Os profissionais palestinos observam como as pessoas se ajudam e usam essas iniciativas orgânicas como precursoras das intervenções. Por exemplo, perceber que as crianças palestinas gostam de empinar pipas em reação ao cerco, aos muros e aos postos de controle. A literatura infantil palestina está repleta de histórias de pipas e animais voadores; isso levou à criação do Healing Through the Skies [Cura pelos céus], uma oficina terapêutica que oferece uma válvula de escape emocional para lidar com a perda e o luto por meio da confecção de pipas e do voo. Essa atividade culturalmente relevante e contextualmente adaptada auxilia as crianças a processarem suas emoções e, ao mesmo tempo, destaca a importância da solidariedade e da cura compartilhada em sua comunidade.

A experiência palestina demonstra a importância da fé e dos valores nacionais para fortalecer a resiliência e a recuperação. Os profissionais da saúde mental devem ser guiados pelas pessoas que necessitam de nosso apoio e ser sensíveis a seus conceitos mais prezados. Quando ouvimos as pessoas dizerem "Pertencemos a Alá e a Ele retornaremos", precisamos compreender o que isso significa para elas: por meio disso, o enlutado supera o sofrimento da perda e a dor da separação do falecido. Isso estabelece a esperança de que o ente querido está em um lugar melhor e que eles se reunirão um dia. Assim como surgimos da mesma origem, no final nos encontraremos no mesmo destino. Essa declaração, para os que acreditam, pode ser mais eficaz do que a EMDR, a experiência somática ou a terapia cognitivo-comportamental (TCC) focada no trauma.

A integração de práticas terapêuticas convencionais e rituais culturais em intervenções de saúde mental reconhece a identidade e o patrimônio nacionais, oferecendo caminhos para alívio emocional e apoio comunitário. Conceitos religiosos como *Yaqeen* (segurança e certeza) ou *Tarahum* (compaixão), valores nacionais como *Sumud* (firmeza) e a noção religiosa politizada de *Ribat* (proteção de nossos locais religiosos) são elementos importantes para a compreensão da mentalidade palestina em resposta à terrível realidade política.

Sem a infraestrutura necessária para apoiar a pesquisa no modelo ocidental, os acadêmicos palestinos costumam ilustrar suas observações por meio de micro-histórias e relatos clínicos, que contêm conhecimentos valiosos, mas que muitas vezes não são reconhecidos devido aos diferentes processos de pesquisa. O mundo ocidental da pesquisa acadêmica, com seu braço industrializado de publicações acadêmicas e reuniões científicas, geralmente é inacessível para os palestinos que não contam com apoio financeiro.

O enfoque ocidental no indivíduo como unidade de medida frequentemente leva a conclusões inúteis. Por exemplo, no início de 2023, o Banco Mundial constatou que 71% da população de Gaza sofre de transtornos depressivos. Essa contagem, feita a partir de uma perspectiva ocidental, ignora o sofrimento humano mais amplo causado pela ocupação e pela guerra. Esse modelo individualista, enraizado nas noções ocidentais do eu como uma entidade autônoma, não se encaixa de maneira adequada em culturas como a da sociedade palestina, em que o conceito do eu está profundamente integrado a uma identidade coletiva. A dor em Gaza não é um mero "transtorno depressivo", mas uma consequência de danos ao tecido coletivo e social – uma forma de lesão para a qual não dispomos de ferramentas quantitativas para medir.

Em um plano mais amplo, temos um desafio epistemológico: descobrir a verdade no contexto de violência política generalizada é um desafio. Alguns dizem que "a opressão mascara a verdade" e que somente por meio da libertação é possível obter conhecimento genuíno e uma verdade duradoura. Uma ciência ocidental que se orgulha de sua objetividade está sujeita a ignorar as barreiras que impedem a geração de conhecimento confiável a partir das vítimas de tortura e de outros tipos de experiência humana que são difíceis de avaliar em termos quantitativos, mas que, no entanto, são profundamente significativas. Crucial aqui é a avaliação da subjugação coletiva e suas consequências emocionais.

Levantar a questão do aspecto coletivo e, portanto, político, do sofrimento palestino entra em conflito com a ideia ocidental de "neutralidade terapêutica", que exige um trabalho apolítico. Ignorar o contexto coletivo nega a sabedoria de muitas observações clínicas. Por exemplo, a anedonia no Ocidente pode indicar depressão ou um sintoma negativo da esquizofrenia, mas também pode ser típica de pessoas que sofrem de violência política crônica e opressão. Onde há miséria generalizada, a falta de prazer pode indicar um bom teste de realidade. Os sintomas de transtornos mentais observados no Ocidente podem ser sintomas de sanidade na Palestina.

Abordagens baseadas na comunidade, como terapia de grupo ou redes de apoio, diálogo e palestras públicas, oferecem oportunidades de recuperação. Enfatizar a resiliência coletiva e fornecer plataformas para contar histórias e promover a solidariedade pode fomentar um sentimento de unidade e força em meio à adversidade e proteger os ativistas do desgaste emocional. A incorporação de rituais culturais, como os funerais de mártires, pode ser profundamente terapêutica. Esses métodos validam a identidade cultural e o patrimônio comum, oferecendo caminhos para alívio emocional e apoio comunitário.

Depois do massacre de Jenin, em 2002, os jovens enlutados do campo de refugiados, orientados pelo artista alemão Thomas Kilpper, construíram a escultura de um cavalo feito com os destroços de ambulâncias e carros destruídos durante o ataque militar. O cavalo de batalha de Jenin foi erguido na rotatória próxima ao campo e contava a história do massacre e dos heróis perdidos naquela batalha. O cavalo se tornou um símbolo de reconstrução após a destruição. Infelizmente, há pouco tempo, enquanto o genocídio ocorria em Gaza, o Exército israelense destruiu e confiscou o cavalo de batalha de Jenin.

A neutralidade terapêutica desencoraja o envolvimento com questões políticas, morais e sociais fundamentais. A despolitização geralmente oculta dinâmicas de poder desiguais. Durante décadas, fatores como gênero, etnia, classe, religião e política foram considerados irrelevantes para a psicoterapia. Na realidade, ignorar as injustiças sociais e estruturais torna os profissionais da saúde mental coniventes com os sistemas opressivos. Os profissionais da saúde mental devem ajudar os pacientes a entender e orientar como os fatores políticos contribuem para seu sofrimento, alinhando-se aos códigos éticos para garantir o bem-estar físico e mental dos pacientes. Abordar a injustiça estrutural é essencial para o empoderamento e o alívio do sofrimento, ajudando os pacientes a reduzir a autoculpabilização, a vitimização e o desamparo por meio da compreensão das causas fundamentais de sua angústia. Na Palestina, entendemos que abordar a injustiça histórica, reivindicar direitos e defender a liberdade são componentes inerentes à recuperação da saúde mental. Reconhecer o papel da justiça na recuperação mental nos leva a incentivar o ativismo e a mudança social como componentes essenciais da promoção da saúde mental. No que se refere à intervenção concreta no momento atual, esperamos que os profissionais da saúde sejam defensores de um cessar-fogo e enfrentem corajosamente as instituições que são silenciosas ou cúmplices do genocídio. Os profissionais da saúde mental devem não apenas participar do tratamento das vítimas de tortura, mas também contribuir para a documentação médica e psicológica de suas experiências, caso elas busquem reparação.

A meta terapêutica ocidental da homeostase é problemática para os palestinos porque o tratamento visa a que o paciente recupere o estado "pré-mórbido" e se ajuste à "realidade", que pode ser opressiva quando a estrutura de poder da opressão faz parte da realidade que precisa ser contestada. As pessoas que vivem sob regimes opressivos precisam mudar por meio de uma postura de resistência e ação transformadora – e não de um retorno ao *status quo*. O a-historicismo da saúde mental ocidental e sua visão estática da natureza humana estão por trás da sua meta de homeostase. Na Palestina, os eventos históricos afetam significativamente a saúde mental. A história é de vital importância para determinar a natureza humana. No contexto ocidental de segurança e abundância material, o comportamento violento de uma criança pode indicar abuso ou negligência. Na Palestina, é provável que as crianças tenham visto a morte de amigos e familiares, a explosão de casas e escolas e ferimentos em si próprias e em seus entes queridos. Suas ações de rebeldia podem ter origem em um senso de agência ou em uma necessidade de autoafirmação diante de um trauma histórico.

Conhecemos o caso de um garoto de treze anos que procurou tratamento porque "não estava interessado na escola". Sua mãe queria que ele fosse medicado com estimulantes para tratar transtorno do déficit de atenção com hiperatividade (TDAH). No entanto, descobriu-se que esse menino, morador de Jerusalém Oriental, tinha sido um bom aluno. Ele havia perdido o interesse pelas aulas apenas depois que a escola fora forçada a adotar o currículo israelense que omite a história palestina. O menino, então, deitou a cabeça sobre a mesa como se estivesse dormindo, mas fez isso como uma forma de desafiar o currículo, que ele corretamente percebeu como um apagamento de sua identidade.

Os momentos históricos mudam as pessoas. Precisamos de uma psicologia que reconheça isso. Nossa compreensão da psicologia exige que analisemos novamente nossa terminologia, distinguindo entre os significados sociais que esses termos podem transmitir no mundo ocidental e os significados que eles têm na Palestina. O altruísmo, definido como um mecanismo de defesa na teoria psicanalítica, é uma virtude fundamental na vida social e religiosa palestina. As psicoterapias ocidentais geralmente se concentram em libertar os pacientes de inibições e proibições internas, incentivando as experiências mais amplas de prazer. Para os palestinos, essas metas podem parecer limitadas e hedonistas em uma comunidade que valoriza a responsabilidade social; nossa cultura prioriza o significado e o propósito, com a alegria como um possível subproduto.

A hierarquia de necessidades de Maslow sugere que a verdadeira maturidade, a autorrealização e a transcendência só podem surgir após a satisfação de necessidades mais básicas. Entretanto, na Palestina, percebemos as coisas de forma diferente. Os profissionais de saúde dos hospitais de Gaza demonstraram uma devoção heroica apesar da não satisfação de necessidades básicas. Sua extraordinária devoção e autossacrifício se sobressaem diante da crueldade e da destruição. Rejeitamos a aplicação de termos científicos como insultos usados como armas, como os utilizados pela especialista em traumas israelense Ayelet Shmuel, que diagnosticou toda a nossa população como "sociopatas", e a rotulação pela mídia ocidental de ativistas palestinos que confrontam soldados ou iniciam uma greve de fome como suicidas. Precisamos questionar a imposição da narrativa do opressor em nosso discurso profissional.

Na Palestina, buscamos reexaminar a estrutura ocidental da psicologia, deixando para trás padrões de pensamento excludentes que reforçam sua hegemonia sobre nós e negam nossa experiência e sabedoria coletivas. Precisamos de novas formas de investigação, novas maneiras de compreender nossos semelhantes e novas abordagens de tratamento. A troca de conhecimento pode enriquecer nossa perspectiva e nos fortalecer no sentido de identificar e tratar o sofrimento humano em todas as suas diversas formas.

Gaza, genocídio colonial e capitalismo

BRUNO HUBERMAN

A operação militar da resistência palestina em 7 de outubro e o genocídio de Israel contra os palestinos em Gaza abriram questionamentos importantes a respeito da questão colonial contemporânea. Este artigo busca, primeiro, expor os limites das discussões clássicas nas literaturas marxista e pós-colonial, centradas na questão do trabalho, para compreender os genocídios coloniais; segundo, discutir o papel revolucionário das populações sobressalentes em contextos coloniais; e, por fim, compreender a produção da morte a partir da relação entre colonialismo e capitalismo.

A produção de população sobressalente pelo capital é analisada como fator para compreender tanto o ataque palestino como o genocídio israelense. Em contextos coloniais, os nativos sobressalentes constituem a ponta de lança da resistência anticolonial. Por outro lado, a eliminação tem sido uma forma de poder comum dos colonizadores para administrar os nativos sobressalentes e expropriar terra. A crescente centralidade da morte como forma de administração e acumulação no neoliberalismo serve de fator adicional para possibilitar o extermínio dos palestinos em Gaza no presente.

Marx, capitalismo e colonialismo

Apesar das características violentas apontadas por Marx em *O capital*, o capitalismo é caracterizado pela reprodução do trabalhador assalariado. Os despossessados do campo foram forçados a se deslocar aos centros urbanos para se submeter ao trabalho industrial. Por mais degradante que fosse a condição de trabalho no século XIX, os burgueses não podiam matar de forma sistemática os seus operários diante, por exemplo, de uma greve, para obter lucro. O capitalismo dependia da força de trabalho viva. Sem trabalho não haveria valorização do valor. Não há mais-valor. Não há lucro. A contradição central do capitalismo repousava na produção; e o proletariado urbano configuraria, para Marx, a classe revolucionária capaz de superar esse modo de produção.

Mesmo quando Marx abordava o colonialismo, o trabalho continuava a ter centralidade. Em *O capital*, ele afirma que "a escravidão era um negócio conduzido por capitalistas" e que "a escravidão disfarçada dos assalariados na Europa necessitava, como pedestal, da escravidão *sans phrase* do Novo Mundo"[1]. A questão colonial revelaria, assim, verdades sobre a natureza do capitalismo escondidas nas metrópoles[2]. O trabalho assalariado no centro era contraparte do trabalho escravizado na periferia. O que constituía a diferença entre um e outro era a raça, que operava como forma de separação, ordenação e submissão do trabalho[3]. O extermínio aparece em breve passagem, ao lado da escravidão, como uma violência colonial constituinte do capitalismo no capítulo d'*O capital* sobre a "acumulação primitiva"[4]. Contudo, mesmo a literatura pós-colonial teve dificuldade em compreender o genocídio. Albert Memmi via o extermínio dos indígenas nos Estados Unidos como um paradoxo colonial[5].

---

1 Karl Marx, *O capital: crítica da economia política*, Livro I: *O processo de produção do capital* (trad. Rubens Enderle, São Paulo, Boitempo, 2013 [1867]), p. 829.

2 "A profunda hipocrisia, a intrínseca barbárie da civilização burguesa se apresenta diante de nós sem disfarces, assim que das grandes metrópoles, onde elas assumem formas respeitáveis, voltamos os olhos para as colônias, onde passeiam desnudas"; Karl Marx, "Os resultados futuros da dominação britânica na Índia", em Karl Marx e Friederich Engels, *Obras escolhidas*, tomo I (trad. José Barata-Moura, Lisboa, Avante!, 2008), p. 513-8.

3 Gargi Bhattacharyya, *Rethinking Racial Capitalism: Questions of Reproduction and Survival* (Lanham, Rowman & Littlefield International, 2018).

4 "A descoberta das terras auríferas e argentíferas na América, o extermínio, a escravização e o soterramento da população nativa nas minas, o começo da conquista e saqueio das Índias Orientais, a transformação da África numa reserva para a caça comercial de peles-negras caracterizam a aurora da era da produção capitalista. Esses processos idílicos constituem momentos fundamentais da acumulação primitiva"; Karl Marx, *O capital*, cit., p. 821.

5 "O extermínio salva tão pouco a colonização que é quase exatamente o seu contrário. A colonização é, em primeiro lugar, uma exploração econômico-política. Se o colonizado fosse suprimido, a colônia se tornaria um país qualquer, entendo, mas quem seria explorado? Com o colonizado, desaparecia a colonização, inclusive do colonizador"; Albert Memmi, *Retrato*

População sobressalente e a expansão do marxismo para o contexto colonial

No clássico *Os condenados da terra*, Frantz Fanon se debruça sobre as dinâmicas de classe do neocolonialismo nas sociedades (pós) coloniais. Para tanto, o pensador martinicano mobiliza o marxismo de forma crítica com o objetivo de contextualizar a especificidade do capitalismo na colônia. Para o autor, "as análises marxistas devem modificar-se ligeiramente sempre que abordam o sistema colonial"[6]. Esse alargamento almejava trazer à tona o potencial revolucionário das periferias coloniais, contrariando a ortodoxia marxista que o situava exclusivamente no coração do capitalismo. Além de deslocar o lócus da revolução para as nações colonizadas, Fanon pretendia pensar o impulso de transformação social para do chão de fábrica, dos sindicatos e dos movimentos dos trabalhadores assalariados, de modo a abarcar o potencial político de toda a população urbana e rural, do povo que tem sido desvalorizado e oprimido pelo colonialismo. O protagonismo desse processo estaria, para ele, na população sobressalente e no lumpemproletariado: "É nessa massa, nesse povo dos bairros de miséria, das casas de lata, no seio do *lumpen-proletariat* que a insurreição encontrará a sua ponta de lança urbana. [...] uma das forças mais espontâneas e radicalmente revolucionárias de um povo colonizado"[7].

Ao analisar a tendência sistêmica do capital em produzir trabalhadores de maneira para além da sua necessidade de expansão, Marx observou como essa população sobrante, ou "exército industrial de reserva", era fundamental para baratear os salários e aumentar o lucro. Contudo, os trabalhadores sobressalentes também levam ao acirramento da luta de classes e à crise do capital. O colonialismo surge assim como chave para aliviar essas tensões na metrópole, como desenvolverá mais tarde Lênin[8]. O liberal inglês E. G. Wakefield foi um dos responsáveis por tornar a colonização por povoamento – isto é, o assentamento permanente de europeus em terras indígenas para a construção de uma nova nação – em uma política sistêmica

do colonizado precedido do retrato do colonizador (Rio de Janeiro, Civilização Brasileira, 2007), p. 186-7.

[6] Frantz Fanon, *Os condenados da terra* (Rio de Janeiro, Civilização Brasileira, 1968 [1961]), p. 35.

[7] Idem.

[8] Vladímir Ilitch Lênin, *Imperialismo, estágio superior do capitalismo* (trad. Edições Avante! e Paula Vaz de Almeida, São Paulo, Boitempo, 2021).

do Império Britânico do século XIX. Wakefield, um interlocutor de Marx no capítulo sobre acumulação primitiva, via na colonização uma forma de resolver as contradições que provocam a luta de classes e as crises de sobreacumulação ao exportar a população sobressalente e o capital excedente para expandir a produção em uma nova fronteira. A colonização da Austrália, por exemplo, teria sido central para atenuar conflitos sociais na Inglaterra tal qual ocorreram na França no século XIX[9].

Na fronteira colonial, entretanto, nem sempre foi necessária a incorporação dos nativos na força de trabalho, porque as metrópoles coloniais alocavam a população já proletarizada na Europa. Essa prioridade da mão de obra colona em locais como Estados Unidos, Argélia e Palestina fazia com que os indígenas despossessados se tornassem população sobressalente e dava mais centralidade à questão da expropriação de terra[10]. Como insiste Fanon, a luta do colonizado é sobretudo por terra, pois é uma luta de um povo racialmente subjugado contra a negação da sua soberania. A resolução da contradição na metrópole constituía, portanto, a contradição na colônia. A luta por libertação nacional dos nativos sobressalentes nas colônias se conecta, assim, à luta dos operários na metrópole.

Esse enquadramento explica como Gaza, desde a fundação de Israel, em 1948, se constituiu como o lócus da luta palestina. Aquela estreita faixa de terra concentra a maior quantidade de refugiados da Nakba[11], quando o local foi transformado numa "área de expulsão" para abrigar 200 mil refugiados. Estes sempre protagonizaram a luta por libertação palestina, pois, nos termos de Fanon, não têm nada a perder e tudo a ganhar. A força dos guerrilheiros gazanos os fez vítimas de um massacre em Khan Younis já em 1956, durante a ocupação israelense na Guerra do Sinai. Não à toa, Gaza foi o berço dos principais partidos palestinos – Fatah e Hamas –, bem como das mobilizações que fizeram estourar as duas Intifadas, em 1987 e 2000[12].

---

9 Gabriel Piterberg e Lorenzo Veracini, "Wakefield, Marx, and the World Turned Inside Out", *Journal of Global History*, v. 10, n. 3, p. 457-78, 2015.

10 Sai Englert, "Settlers, Workers, and the Logic of Accumulation by Dispossession", *Antipode*, v. 52, n. 3, 2020, p. 1.647-66.

11 Ver Arlene Clemesha, "Pensar a Palestina após Gaza: uma breve historiografia da Nakba", neste volume, p. 47-55.

12 Isabela Agostinelli dos Santos, *Morte e vida palestina: a reorientação tática do colonialismo israelense na Faixa de Gaza* (tese de doutorado, São Paulo, PUC-SP, 2023).

A combinação da força da resistência em Gaza com a alta concentração demográfica, que dificultava a construção de assentamentos, estiveram entre os principais motivos para o desengajamento por Israel em 2005[13]. Além de limitar o comércio e a ajuda externa para Gaza, Israel também interrompeu o fluxo de trabalhadores palestinos que eram empregados no mercado israelense. Esse processo tornou sobressalentes praticamente todos os 2 milhões de palestinos que vivem ali. Como resposta, Israel passou a importar mão de obra temporária do Sudeste asiático para diminuir sua histórica dependência do trabalho palestino; bem como a jogar bombas, limitar a quantidade de calorias, envenenar plantações e controlar tudo que diz respeito à vida dos palestinos em Gaza. É o que Isabela Agostinelli chama de produção da "morte lenta" através do controle infraestrutural[14]. Portanto, o ataque de 7 de outubro não provocou o início do genocídio em Gaza, mas foi resposta ao extermínio já em curso.

Genocídio e colonialismo por povoamento

Para o historiador Patrick Wolfe, o processo de colonialismo por povoamento pode ser entendido através da "lógica de eliminação"[15]. O assentamento das terras indígenas envolve a erradicação da população nativa através de morte, expulsão, assimilação e confinamento. O seu objetivo é substituir a população nativa por colonos para constituir uma soberania colonial sobre o território confiscado. Wolfe elaborou sua teoria a partir do exame do assentamento anglo-saxão na América do Norte e na Austrália, caracterizado pelo extermínio dos povos indígenas. A sua contribuição foi central para a literatura pós-colonial, que ignorava a particularidade do colonialismo por povoamento. Ele demonstrou como ainda hoje o genocídio e o confisco de terras indígenas são características permanentes e estruturais dos Estados constituídos por esse tipo de colonialismo.

A Nakba de 1948, os diversos massacres de palestinos (como o de Sabra e Shatila, em 1982) e o confinamento dos nativos sobreviventes

---

13 Quando ocorreu o desengajamento da Faixa de Gaza, em 2005, viviam aproximadamente 5 mil colonos judeus entre mais de 2 milhões de palestinos. Essa desproporção tornava a proteção dos assentamentos muito onerosa para o Estado. Ademais, dificultava a manutenção da maioria judaica dentro de Israel. Ver Isabela Agostinelli dos Santos, *Morte e vida palestina*, cit.

14 Idem.

15 Patrick Wolfe, "Settler Colonialism and the Elimination of the Native", *Journal of Genocide Research*, v. 8, n. 4, 2006, p. 387-409.

em enclaves na Faixa de Gaza e na Cisjordânia reforçam uma lógica subjacente que remete à teoria do colonialismo por povoamento[16]. A guerra israelense contra os palestinos em Gaza seria uma nova fase desse processo de confisco duradouro. A ambição de Bezalel Smotrich e Itamar Ben-Gvir, políticos de extrema direita que compõem o governo de Benjamin Netanayhu, é restabelecer assentamentos judeus em Gaza e expulsar o maior número de palestinos possível. Esse tem sido um importante motor por trás do genocídio.

O genocídio em Gaza poderia ser facilmente explicado pela teoria de Wolfe. Contudo, concordo com as críticas dirigidas a ela, em especial no que diz respeito à inadequação das contradições de classe e trabalho e à luta por libertação nacional[17]. A Palestina é um caso em que a exploração do trabalho, a resistência dos nativos e as contradições de classe têm sido centrais para compreender a particularidade do colonialismo por povoamento israelense. Por ser um fenômeno inserido no capitalismo e no imperialismo ocidentais, o colonialismo por povoamento não possuiria uma lógica própria, mas operaria dentro das contradições dos processos de acumulação primitiva.

Glen Coulthard, indígena do povo Yellowknives Dene, aponta, em diálogo com Wolfe e Marx, que a particularidade da acumulação primitiva colona seria a "aquisição territorial perpétua" – a eliminação poderia ser um resultado, não a sua lógica[18]. Coulthard nota que no Canadá a despossessão dos indígenas não significou a sua proletarização. O genocídio foi ferramenta fundamental para desconectar os nativos da terra, abrir espaço para o assentamento europeu e impor as relações sociais capitalistas. O genocídio de povos indígenas nas Américas, ao lado da escravidão de africanos e do assentamento de europeus, está na raiz da formação do capitalismo. Por outro lado, a dificuldade de recrutar colonos para o assentamento e a resistência nativa fizeram diversas colônias por povoamento, como Brasil, África do Sul e Palestina, utilizarem-se extensamente do trabalho indígena[19].

[16] Omar Jabary Salamanca et al., "Past is Present: Settler Colonialism in Palestine", *Settler Colonial Studies*, v. 2, n. 1, 2012, p. 1-8.

[17] Ver, por exemplo, Sai Englert, "Settlers, Workers, and the Logic of Accumulation by Dispossession", cit. e Max Ajl, "Logics of Elimination and Settler Colonialism: Decolonization or National Liberation?", *Middle East Critique*, v. 32, n. 2, 2023, p. 259-83.

[18] Glen Coulthard, *Red Skin, White Masks: Rejecting the Colonial Politics of Recognition* (Minneapolis, University of Minnesota Press, 2014).

[19] Sai Englert, "Settlers, Workers, and the Logic of Accumulation by Dispossession", cit.

Não seria correto, portanto, reduzir o colonialismo por povoamento a uma lógica de eliminação. A constituição de um Estado liberal que impede o genocídio físico de indígenas não significa o fim do colonialismo por povoamento, mas a sua reprodução[20]. Os povos nativos continuam lutando contra a expropriação de território e por autodeterminação[21]. Eliminação e exploração são, portanto, formas de poder coloniais utilizadas pelos colonos a depender das relações materiais de cada caso.

Em 2022, Israel tinha aumentado a exploração dos trabalhadores palestinos de Gaza por causa da demanda do capital israelense em decorrência da crise econômica provocada pela pandemia de covid-19. Mas a resistência nativa no 7 de outubro tornou a eliminação uma prioridade da administração da população sobressalente. Ademais, serviu de oportunidade para expandir a expropriação territorial. Portanto, em outubro de 2023 houve uma mudança nas táticas empregadas pelo colonialismo israelense – do confinamento e exploração para a eliminação e expulsão. A população palestina de Gaza permanece sobressalente. Mudou apenas a estratégia de "morte lenta" através do controle infraestrutural para a morte rápida através da destruição completa.

Conclusão: neoliberalismo, imperialismo e morte

Essa mudança tática israelense foi reforçada pela centralidade da morte como forma de administrar a população sobressalente no neoliberalismo[22]. O imperialismo estadunidense tem crescentemente empregado a destruição e a guerra contra grupos raciais subalternizados para lidar com as crises permanentes impostas pelo capital monopolista[23]. Capasso e Kadri afirmam que as guerras travadas pelo imperialismo são uma forma de produção, acumulação e lucro. A guerra é um modo de acumulação por desperdício que resulta na destruição da vida humana e da natureza pelas bombas ocidentais. As mercadorias produzidas são os corpos das populações excedentes do Sul Global que apresentam algum tipo de resistência à hegemonia incontestável dos Estados Unidos.

---

20 Max Ajl, "Logics of Elimination and Settler Colonialism", cit.

21 Glen Coulthard, *Red skin, white masks*, cit.

22 Achille Mbembe, *Necropolítica* (trad. Renata Santini, São Paulo, n-1, 2018).

23 Matteo Capasso e Ali Kadri, "The Imperialist Question: A Sociological Approach", *Middle East Critique*, v. 32, n. 2, 2023, p. 149-66.

A política externa e a estratégia de acumulação do governo Joe Biden (2020-24) giraram em torno da guerra para beneficiar o complexo industrial-militar dos Estados Unidos. Essa abordagem é exemplificada pela postura persistente de confrontar a Rússia apesar dos reveses na Guerra da Ucrânia (2022-) e pelo compromisso inabalável de ajudar Israel no genocídio em Gaza. As indústrias de segurança dos Estados Unidos e de Israel são intrinsecamente ligadas e utilizam os territórios palestinos, sobretudo Gaza, como campo de testes para seus armamentos[24]. O genocídio reproduz a função laboratorial de Gaza como espaço para testes de técnicas de administração de populações sobressalentes.

[24] Antony Loewenstein, *The Palestine Laboratory: How Israel Exports the Technology of Occupation Around the World* (Londres/Nova York, Verso, 2023).

O colapso do sionismo*

ILAN PAPPÉ

O ataque do Hamas em 7 de outubro pode ser comparado a um terremoto que atinge um prédio antigo. As rachaduras já estavam começando a aparecer, mas agora são visíveis em suas próprias fundações. Mais de 120 anos após seu início, o projeto sionista na Palestina – a ideia de impor um Estado judeu a um país árabe, muçulmano e do Oriente Médio – poderia estar enfrentando a perspectiva de colapso? Historicamente, há uma infinidade de fatores que pode provocar o naufrágio de um Estado. Pode ser resultado de ataques constantes de países vizinhos ou de uma guerra civil crônica. Pode acontecer após o colapso de instituições públicas, que se tornam incapazes de fornecer serviços aos cidadãos. Muitas vezes, começa como um lento processo de desintegração que ganha força e então, em um curto período de tempo, derruba estruturas que antes pareciam sólidas e firmes.

A dificuldade está em identificar os primeiros indicadores. Aqui, argumentarei que eles estão mais claros do que nunca no caso de Israel. Estamos testemunhando um processo histórico – ou, mais precisamente, o início de um – que provavelmente culminará na queda do sionismo. E, se meu diagnóstico estiver correto, também estamos entrando em uma conjuntura particularmente perigosa. Pois, uma vez que Israel perceber a magnitude da crise, liberará uma força feroz e

* Artigo escrito originalmente para o blog *Sidecar* da *New Left Review*, em 21 de junho de 2024, e republicado aqui com autorização do autor. A tradução é de Samuel Kilsztajn.

desinibida para tentar contê-la, como fez o regime de *apartheid* sul-africano durante seus últimos dias.

1.

Um primeiro indicador é *a fratura da sociedade judaica israelense*. Atualmente, ela é composta por dois campos rivais que não conseguem encontrar um ponto em comum. A fratura decorre das anomalias da definição do judaísmo como nacionalismo. Embora a identidade judaica em Israel às vezes tenha parecido pouco mais do que um assunto de debate teórico entre facções religiosas e seculares, ela agora se tornou uma luta em torno do caráter da esfera pública e do próprio Estado. Ela está sendo travada não apenas na mídia, mas também nas ruas.

Um campo pode ser denominado "Estado de Israel". Ele compreende judeus europeus mais seculares, liberais e, em sua maioria, mas não exclusivamente, de classe média e seus descendentes, que foram fundamentais no estabelecimento do Estado em 1948 e permaneceram hegemônicos dentro dele até o final do século passado. Não se engane, sua defesa de "valores democráticos liberais" não afeta seu comprometimento com o sistema de *apartheid* que é imposto, de várias maneiras, a todos os palestinos que vivem entre o rio Jordão e o mar Mediterrâneo. Seu desejo básico é que os cidadãos judeus vivam em uma sociedade democrática e pluralista da qual os árabes sejam excluídos.

O outro campo é o "Estado da Judeia", que se desenvolveu entre os colonos da Cisjordânia ocupada. Ele desfruta de níveis crescentes de apoio dentro do país e constitui a base eleitoral que garantiu a vitória de Benjamin Netanyahu nas eleições de novembro de 2022. Sua influência nos escalões superiores do Exército israelense e dos serviços de segurança está crescendo exponencialmente. O Estado da Judeia quer que Israel se torne uma teocracia que se estenda por toda a Palestina histórica. Para conseguir isso, está determinado a reduzir o número de palestinos ao mínimo, e está contemplando a construção de um Terceiro Templo no lugar de Al-Aqsa. Seus membros acreditam que isso os capacitará a renovar a era de ouro dos reinos bíblicos. Para eles, os judeus seculares são tão heréticos quanto os palestinos se eles se recusarem a participar desse esforço.

Os dois campos começaram a se chocar violentamente antes de 7 de outubro. Nas primeiras semanas após o ataque, eles pareceram deixar de lado suas diferenças diante de um inimigo comum. Mas isso era uma ilusão. A luta de rua reacendeu, e é difícil vislumbrar o que poderia promover uma reconciliação. O resultado mais provável já está se desenrolando diante de nossos olhos. Mais de meio milhão de israelenses, representando o Estado de Israel, deixaram o país desde outubro, uma indicação de que o país está sendo engolido pelo Estado da Judeia. Trata-se de um projeto político que o mundo árabe, e talvez até mesmo o mundo em geral, não tolerará a longo prazo.

2.

O segundo indicador é a *crise econômica de Israel*. A classe política não parece ter nenhum plano para equilibrar as finanças públicas em meio a conflitos armados perpétuos, além de se tornar cada vez mais dependente da ajuda financeira estadunidense. No último trimestre do ano passado, a economia caiu quase 20%; desde então, a recuperação tem sido frágil. A promessa de Washington de 14 bilhões de dólares dificilmente reverterá isso. Pelo contrário, o fardo econômico piorará se Israel seguir adiante com sua intenção de entrar em guerra com o Hezbollah enquanto aumenta a atividade militar na Cisjordânia, em um momento em que alguns países – incluindo Turquia e Colômbia – começaram a aplicar sanções econômicas.

A crise é agravada ainda mais pela incompetência do ministro das Finanças, Bezalel Smotrich, que constantemente canaliza dinheiro para assentamentos judaicos na Cisjordânia, mas parece incapaz de administrar seu próprio departamento. O conflito entre o Estado de Israel e o Estado da Judeia, juntamente com os eventos de 7 de outubro, está, entretanto, fazendo com que parte da elite econômica e financeira mova seu capital para fora do país. Aqueles que estão considerando realocar seus investimentos constituem uma parte significativa dos 20% dos israelenses que pagam 80% dos impostos.

3.

O terceiro indicador é o *crescente isolamento internacional de Israel*, à medida que ele gradualmente se torna um Estado pária. Esse processo começou antes de 7 de outubro, mas se intensificou desde o início do genocídio. Ele é refletido pelas posições sem precedentes adotadas pela Corte Internacional de Justiça e pelo Tribunal Penal Internacional. No passado, o movimento global de solidariedade à Palestina foi capaz de galvanizar as pessoas para participar de iniciativas de boicote, mas foi incapaz de avançar a perspectiva de sanções internacionais. Na maioria dos países, o apoio a Israel permaneceu inabalável entre o *establishment* político e econômico.

Nesse contexto, as recentes decisões da Corte Internacional de Justiça e do Tribunal Penal Internacional – de que Israel pode estar cometendo genocídio, de que deve interromper sua ofensiva em Rafah, de que seus líderes devem ser presos por crimes de guerra – devem ser vistas como uma tentativa de atender às opiniões da sociedade civil global, em vez de meramente refletir a opinião da elite. Os tribunais não aliviaram os ataques brutais ao povo de Gaza e da Cisjordânia. Mas contribuíram para o crescente coro de críticas dirigidas ao Estado israelense, que cada vez mais vêm de cima assim como de baixo.

4.

O quarto indicador interconectado é *a mudança radical entre os jovens judeus ao redor do mundo*. Após os acontecimentos dos últimos nove meses, muitos agora parecem dispostos a abandonar sua conexão com Israel e o sionismo e participar ativamente do movimento de solidariedade palestina. Comunidades judaicas, particularmente nos Estados Unidos, outrora proporcionaram a Israel uma imunidade efetiva contra críticas. A perda, ou pelo menos a perda parcial, desse apoio tem grandes implicações para a posição global do país. O Aipac (sigla em inglês para o Comitê Americano de Assuntos Públicos de Israel) ainda pode contar com os sionistas cristãos para fornecer assistência e fortalecer seus membros, mas não será a mesma organização formidável sem um eleitorado judeu significativo. O poder do *lobby* está se desgastando.

5.

O quinto indicador é *a fraqueza do Exército israelense*. Não há dúvida de que as IDF (sigla em inglês para as Forças de Defesas de Israel) continuam sendo uma força poderosa, com armamento de ponta à disposição. No entanto, suas limitações foram expostas em 7 de outubro. Muitos israelenses consideram que os militares tiveram muita sorte, pois a situação poderia ter sido muito pior se o Hezbollah tivesse se juntado em um ataque coordenado. Desde então, Israel mostrou que depende desesperadamente de uma coalizão regional, liderada pelos Estados Unidos, para se defender do Irã, cujo ataque de advertência em abril contou com a mobilização de cerca de 170 drones, além de mísseis balísticos e guiados. Mais do que nunca, o projeto sionista precisa da entrega rápida de enormes quantidades de suprimentos dos estadunidenses, sem os quais não poderia nem mesmo lutar contra um pequeno exército de guerrilha no sul.

Há agora, entre a população judaica do país, uma percepção generalizada do despreparo de Israel e da incapacidade de se defender. Isso levou a uma grande pressão para remover a dispensa militar de judeus ultraortodoxos – em vigor desde 1948 – e começar a recrutá-los aos milhares. Isso dificilmente fará muita diferença no campo de batalha, mas reflete a dimensão do pessimismo no que diz respeito ao Exército – o que, por sua vez, aprofundou as divisões políticas dentro de Israel.

6.

O indicador final é *a renovação de energia entre a geração mais jovem de palestinos*. A juventude palestina é muito mais unida, organicamente conectada e clara sobre suas perspectivas do que a elite política palestina. Dado que a população de Gaza e da Cisjordânia está entre as mais jovens do mundo, essa nova coorte terá uma influência imensa sobre o curso da luta de libertação. As discussões que ocorrem entre os grupos palestinos jovens mostram que eles estão preocupados em estabelecer uma organização genuinamente democrática – seja uma OLP renovada, ou uma completamente nova – que buscará uma visão de emancipação antitética à campanha da Autoridade Palestina por reconhecimento como um Estado. Eles parecem favorecer uma solução de um Estado ao invés do desacreditado modelo de dois Estados.

Serão eles capazes de montar uma resposta eficaz ao declínio do sionismo? Essa é uma pergunta difícil de responder. O colapso de um projeto de Estado nem sempre é seguido por uma alternativa mais brilhante. Em outros lugares do Oriente Médio – na Síria, no Iêmen e na Líbia –, vimos quão sangrentos e prolongados os resultados podem ser. Neste caso, seria uma questão de descolonização, e o século anterior mostrou que as realidades pós-coloniais nem sempre melhoram a condição colonial. Somente a ação dos palestinos pode nos mover na direção certa. Acredito que, mais cedo ou mais tarde, uma fusão explosiva desses indicadores resultará na destruição do projeto sionista na Palestina. Quando isso acontecer, devemos torcer para que um movimento de libertação robusto esteja lá para preencher o vazio.

Por mais de 56 anos, o que foi chamado de "processo de paz" – um processo que não levou a lugar nenhum – foi, na verdade, uma série de iniciativas estadunidense-israelenses sobre as quais os palestinos foram convidados a se manifestar. Hoje, "paz" deve ser substituído por descolonização, e os palestinos devem ser capazes de articular sua visão para a região, com os israelenses convidados a se manifestarem.

Isso marcaria a primeira vez, pelo menos em muitas décadas, em que o movimento palestino assumiria a liderança na elaboração de suas propostas para uma Palestina pós-colonial e não sionista (ou qualquer outro nome da nova entidade). Ao fazer isso, é provável que olhará para a Europa (talvez para os cantões suíços e o modelo belga) ou, mais apropriadamente, para as velhas estruturas do Mediterrâneo Oriental, onde grupos religiosos secularizados se transformaram gradualmente em grupos etnoculturais que viviam lado a lado no mesmo território.

Quer as pessoas acolham a ideia ou a temam, já é possível vislumbrar o colapso de Israel. Essa possibilidade deve informar a conversa de longo prazo sobre o futuro da região. Será forçada a entrar em pauta à medida que as pessoas perceberem que a tentativa de um século, liderada pela Grã-Bretanha e depois pelos Estados Unidos, de impor um Estado judeu em um país árabe está lentamente chegando ao fim. Foi bem-sucedida o suficiente para criar uma sociedade de milhões de colonos, muitos deles agora de segunda e terceira geração. Mas sua presença ainda depende, como aconteceu quando chegaram, de sua capacidade de impor violentamente sua vontade a milhões de nativos, que nunca desistiram de lutar por autodeterminação e liberdade em sua terra natal. Nas próximas décadas, os colonos terão que abandonar essa abordagem e mostrar sua disposição de viver como cidadãos iguais em uma Palestina libertada e descolonizada.

1
ירושלים
اورشليم (القدس)
Jerusalem
מעלה אדומים
معلي ادوميم
1
יריחו
اريحا
Jericho
ים המלח
البحر الميت
Dead Sea

Crítica da arte mural

ALYSSON LEANDRO MASCARO

As contradições da pintura contemporânea se tornam ainda mais agudas nas singularidades da arte mural. De um lado, enquanto as artes plásticas de cavalete se repetem e perdem originalidade há décadas, o muralismo parece resistir e mesmo florescer sob novas manifestações: o grafite e/ou a arte de rua pintada, muitas vezes em muros de construções e em empenas de grandes edifícios, por artistas que advêm de variadas raízes sociais, com distintos artifícios e reclames. De outro lado, as especificidades da fatura da arte mural são mais custosas e mais estáticas que as estratégias das demais artes plásticas. Sua realização mobiliza mais recursos financeiros e mais tempo do artista. Sua encomenda pública pressupõe que sua recepção seja filtrada mais por gostos médios que por eventuais excentricidades positivas de consumidores burgueses individuais da arte. E, além disso e principalmente, a arte mural é por excelência arte histórica, política, social, épica. Em tempos nos quais a crítica social é limitada e formalizada sob quadrantes liberais burgueses, o potencial do muralismo é baixo ou constrangido às pautas em voga.

O muralismo tem diapasões específicos no quadro geral das artes plásticas. Ao mesmo tempo, no estrutural, a arte mural é atravessada pelas mesmas determinações das demais manifestações da pintura contemporânea. No capitalismo, o afazer dos artistas plásticos se submete, necessariamente, à forma mercantil. Mesmo quando crítico e responsável por uma arte contra o sistema social, o produto de seu trabalho acaba por ser inexoravelmente uma mercadoria. Até o muralismo mais à esquerda é determinado pelos limites da reprodução capitalista, seja pela remuneração do artista, seja pela alocação final de sua obra. De há muito, a crítica rompeu com a ideia de que a arte seja neutra enquanto forma e de que, pelo conteúdo, destaquem-se posições conservadoras ou transformadoras. A arte, mesmo quando progressista, assume formas de expressão no contexto da sociabilidade capitalista, portando suas contradições.

No século XX, tentativas de resistência à lógica da mera acumulação mercantil na arte aconteceram, via de regra, como tentativa de romper, por meio da afirmação do conteúdo político, com o que é dado pela forma ou, então, pela tensão com o próprio gosto do financiador ou do consumidor da mercadoria artística. No primeiro caso, dá-se a arte pública ou social que buscou conscientizar e induzir posições críticas, como se viu no caso dos artistas comunistas. Um exemplo extremo dessa modalidade foi o chamado realismo socialista. Mediante uma coesão entre propósitos e determinadas linhas políticas oficialmente instaladas próximas dos partidos comunistas de linha soviética, buscou-se criar um circuito de conteúdos da pintura orientados à transformação social.

Outra forma de resistir à arte como mercadoria foi e é a tentativa singular de cada artista de antagonizar o circuito do consumo burguês, ainda que não lhe apresentando uma antítese socialmente substancial. Explode, aqui, a arte liberal cuja dinâmica é muito mais de modernização que, propriamente, de contraposição. A vanguarda, a experimentação ou mesmo a ruptura e a indiferença em relação às formas canônicas fazem com que muito da contemporaneidade das artes plásticas não seja orgânico politicamente. Os artistas e seus movimentos não costumam hoje ser próximos de partidos ou horizontes de engajamento político. Mas, reputando-se críticos porque contrários à estética burguesa, os afazeres artísticos atuais acabam por ser burgueses porque se desvelam como mera mercadoria à disposição de consumidores, ainda que pretensamente afrontem os gostos destes. Sua ausência de mensagem política significativa é uma mensagem de nua mercadoria. Por isso muito da arte de vanguarda ou experimental acaba por ser burguês ainda que pelo efeito de seu negativo.

Se a arte progressista engajada – o realismo socialista e suas variações – foi e tem sido um politicismo contra a mercadoria, a arte de vanguarda ou experimental sem maiores engajamentos políticos foi e tem sido um economicismo contra a mercadoria, tornando-se ao cabo plenamente subsumida a ela. No politicismo, há uma tentativa de apoiar a arte na autonomia relativa do Estado ou dos partidos políticos ou dos movimentos sociais. Quem sustenta economicamente e/ou ideologicamente o artista é a encomenda pública ou institucional ou dos movimentos. No economicismo, a arte é desnudada de pretensões políticas e, portanto, é reduzida ao próprio realismo da mercadoria como modo de comunicar-lhe uma negação ou uma indiferença. No politicismo, há esperança na arte como anunciadora de outra sociedade; no economicismo, há o enfado com as tentativas heroicas ou idealistas de resistência ou luta. Ambos os caminhos parecem de início não se ajustar ao gosto imediato da arte como mercadoria para serem, por fim, ou um circuito secundário da própria dinâmica artística – a arte política ou pública dos povos periféricos ou dos velhos Segundo e Terceiro Mundo, por exemplo –, ou um circuito capitalista central arredio que sabe que qualquer resistência artística se vende e se compra, de modo até mesmo mais valorizado.

O muralismo e suas especificidades

Pela forma, o muralismo tem sua história diretamente ligada aos modos de produção. Em sociedades escravistas, as artes plásticas de amplas dimensões com significados expressivos eram permitidas ou reclamadas pelos poderosos para usos como os de servir ao louvor dos vitoriosos nas guerras senhoriais. Nas sociedades feudais, o mural teve funções religiosas e aristocráticas, ligadas à manutenção de privilégios e estamentos nobres e clericais. No capitalismo, dá-se um deslocamento e ao mesmo tempo uma ampliação das funções murais: tanto glorifica o capitalismo e a burguesia – a indústria, o comércio, a pujança tecnológica, a riqueza, seus personagens dominantes ou proeminentes – quanto, também, a forma política estatal, que lhe é correlata – as guerras, as instituições, os feitos históricos e heroicos, os líderes.

Ocorre que, no capitalismo, a arte mural também é frequentemente utilizada como a arte plástica de mais aguda contraposição ao próprio modo de produção e suas variadas políticas. O caso de Pablo Picasso com *Guernica* é talvez o mais conhecido e exemplar desse viés de arte crítica. No contexto latino-americano, de Diego Rivera a Candido Portinari, a pintura de grande extensão foi a forma plástica excelente para a narrativa crítica de esquerda, por vezes revolucionária. A potência política da arte mural, historicamente utilizada pelos modos de produção a favor da legitimação da ordem vigente, é a mesma que, aliás, permite uma expressiva manifestação crítica.

No campo material da determinação econômica, porém, não se pode tomar a arte mural como potencialmente crítica *per se*, dado que há nela, em algumas ocasiões, até mesmo uma maior submissão ao modo de produção. A necessidade de meios e substratos mais custosos, o tempo de trabalho mais demorado, a exigência de espaços extensos para confecção e para exposição, tudo isso submete o artista muralista a maiores coerções econômicas e políticas. Por isso, o potencial crítico da arte mural, se é dado pela extensão e pela força de sua comunicação, demanda também um maior esforço de reposicionamento econômico-material. A cada grande mural construído, vários outros objetos artísticos mercantis, menores, deixam de ser produzidos pelo artista. A confecção de objetos artísticos de amplo tamanho e de elaborada realização lhe rouba tempo e energia da produção em escala ao consumo burguês individual.

O potencial crítico da arte mural se deve, no especial, à natureza mais pública e mais política de sua forma. A mesma qualidade que lhe permite ser conservadora e legitimadora das classes exploradoras e grupos políticos dominantes é aquela que, quando em chave divergente, impõe-se como potencial crítico. No que tange ao conteúdo, a arte mural tende a exprimir narrativas amplas, com número maior de situações ou personagens retratados. Mesmo o muralismo abstrato pode apresentar grande força crítica: a dinâmica, a pujança, os materiais. No Brasil, Maria Bonomi, em obras públicas murais moldadas no concreto, exprime desde um abstracionismo da potência dos meios de produção e da tecnologia, no caso de seus painéis no metrô paulistano, até um abstracionismo expressivo do sufocamento impingido pela ditadura e o sofrimento existencial de seu tempo, no caso da igreja da Cruz Torta. A extensão majora a comunicação e a torna mais ampla que aquela encerrada em um âmbito apenas privado; a política, então, se exprime ampla e privilegiadamente na arte mural.

O apogeu da arte mural é o tempo do capitalismo fordista. No que tange à sua faceta legitimadora, o muralismo dos tempos fordistas é o louvor da pujança, da riqueza, da potência da técnica. A arte crítica teve exatamente nesse período seu auge: a autoilusão do capitalismo fordista é desmistificada pelas suas contradições e pelo socialismo que se buscava alcançar por meio de lutas e revoluções. O muralismo de esquerda do século XX gestou uma das mais vigorosas e originais expressões estéticas da história, encontrando uma excelente forma artística de crítica.

No entanto, no capitalismo pós-fordista, tanto a narrativa legitimadora quanto a crítica se deslocam. Não se dá mais a possibilidade de louvar o capital apenas pelo incremento das forças produtivas. O aumento da técnica, como o das novas tecnologias ou dos aplicativos de prestação de serviços, não esconde mais a desgraça da exploração. Também o campo da crítica vê sua narrativa se limitar, localizando-se via de regra na direta subjetividade, sua identidade e seu reconhecimento em face do mundo. Não mais se pondo o modo de produção em xeque, perde-se a comunicação artística expressiva de alta potência. A arte mural reduz-se, no pós-fordismo, a manifestações de reclames progressistas liberais, que mediante a representação se conciliam com o sistema. Ao perder sua força de contestação estrutural, o muralismo contemporâneo ou tem função crítica localizada e efêmera, como em alguns casos da arte de rua, ou volta a ser apenas decorativa, ou então seu alcance político é o da representatividade dentro do modo de produção, ainda que sob impulsos progressistas.

No campo de suas determinações materiais, o pós-fordismo não permite aos artistas a estratégia de constante remuneração de trabalhos que demandam confecção de longo prazo. O muralismo reclama mais negociações públicas ou institucionais para a encomenda – muitas vezes, a participação em licitações ou editais de seleção. Já a pintura comercial voltada a consumidores burgueses, que nas artes plásticas tem por tamanho as telas ou os suportes compatíveis com paredes de casas e apartamentos, tem maior potencial de circulação mercantil. As obras de consumo burguês ganham proeminência econômica em face das obras de consumo público, institucional ou social.

O potencial do muralismo crítico

A parcial decadência do muralismo no capitalismo pós-fordista é, ao mesmo tempo e contraditoriamente, o traço de sua força potencial. A forma mural não é mais ensejada nem desejada também porque, materialmente, a crítica estrutural ao modo de produção não encontra mais forças ou aceites em movimentos suficientes. A miríade apenas de críticas liberais é também a limitação do potencial crítico do mural ou, mais que tudo, a perda da narrativa artística sobre as contradições determinantes. O mural perde espaço relativo em face da instalação, cuja expressividade política é menos imediata, ou em face da constância das artes plásticas em telas de tamanhos comerciais, cuja circulação econômica é bem mais perene.

Nas condições do capitalismo do século XXI, de suas crises e das falências, e ao mesmo tempo das necessidades das lutas, não se apresentam meios de simplesmente restaurar-se o muralismo crítico do século XX. Três são os substratos necessários que fazem com que um muralismo contemporâneo crítico, se surgir, poderá se dar somente como avanço em relação ao muralismo crítico anterior: 1) a obra pública já não pode mais contar com a ilusão da neutralidade da forma política estatal; 2) não pode mais fundar-se no erro de que o incremento da técnica e das forças produtivas leve à mudança do modo de produção; 3) não pode ter por substrato a noção idealista de um devir histórico linear sempre progressista.

No que tange à primeira questão, boa parte da obra mural crítica no século XX embalou-se pela coesão com a força estatal. No caso dos países de capitalismo periférico, artistas de esquerda se associaram a governos progressistas que, sem romper com a burguesia, buscavam empreender uma difícil equalização entre exploração e libertação. O Estado é forma do capital; nacionalismos que não rompem com a burguesia falham numa potência que se mobiliza e que não fecunda uma nova sociedade. O México revolucionário, que abre energias ao seu especial muralismo, mas que não se resolve em termos de superação do capitalismo, dá o limite à sua própria arte crítica. O Brasil nacional-desenvolvimentista de boa parte do século XX, rompendo com a República Velha e tendo seu apogeu de Getúlio Vargas a Jango Goulart, também viu florescer uma pujante arte mural, mas atravessada pela contradição entre a condução estatal de uma nova – e difícil – estratégia de acumulação capitalista nacional e a luta socialista que se avistava ao longe, mas não se afirmava plenamente. Candido Portinari, Di Cavalcanti, Clóvis Graciano, Djanira e Eugênio Sigaud, dentre outros, portam a contradição da crítica apoiada na expectativa de um Estado progressista.

O caso soviético é exemplar de uma arte que se faz a partir de uma coesão materialmente determinante com a política. O realismo socialista, ao perspectivar a arte por horizontes formalizados normativamente, esgota as energias estéticas e impede a força crítica. O louvor da revolução já dada impede a irrupção da contundência para a suplantação do modo de produção e reforça o conservadorismo artístico, característico do realismo socialista. A revolução, que deveria continuar, estanca-se no reforço de suas etapas já consolidadas. O expressionismo, que serviu de caminho vigoroso à arte crítica do século XX, é combatido politicamente pelo realismo socialista que favorecia uma arte de potência crítica bem mais fraca.

No que se refere à segunda questão, o muralismo crítico teve por plataforma uma associação ao progresso relacionado às forças produtivas. A tecnologia era tomada como neutra e, portanto, seu aumento serviria à canalização de energias em favor da melhoria das condições do povo. Desde o futurismo, a expressão mural com pretensões críticas se liga ao novidadeiro, ao que rompe com o artesanal, com o conservador, com o tradicional. No que tange ao conteúdo, o novo tecnológico serviu ao muralismo crítico para que ele abrisse meios de contato com a própria burguesia, cuja pujança se fazia mediante a industrialização e os incrementos produtivos. Se o futurismo é uma crítica que tem em uma de suas bordas a simbiose com o fascismo, o muralismo mexicano abre pontes com a burguesia progressista local e estadunidense e o muralismo brasileiro faz o mesmo com a industrialização local. No caso mais extremo do muralismo associado aos partidos comunistas ou à União Soviética, o louvor ao trabalhador e sua força é ainda, se tomado de modo isolado, exclusivo à força produtiva explorada, sem que se estabeleça a crítica à relação de produção.

No que trata da terceira questão, o mesmo horizonte de crítica apoiada no progresso das forças produtivas – a técnica, a força do trabalhador e da classe trabalhadora – se desdobra num louvor à linearidade do progresso histórico. A revolução já ganha não teria volta; do presente advém o futuro; da Terra agora se almeja o espaço sideral; da fome saciada virá um homem novo e fraterno; da guerra só surgirá a paz. Assim, o mural crítico opõe claramente o antes e o depois, o sofrimento como passado e o gozo como futuro, evitando reconhecer seu entrelaçamento e os rastros de sua persistência. A dualidade aqui se apresenta como contraste, não como tensão estrutural. *Guerra e paz*, de Portinari, é o exemplo icônico de dois marcos que contrastam de modo bastante patente. No entanto, nas circunstâncias da manutenção da reprodução social capitalista, contradições houve, há e haverá. A linearidade histórica nas artes faz com que a estética seja de conciliação com o presente, na expectativa de que o futuro viria a partir das bases já ganhas. O *isso* e o *supereu* se localizam, na arte, como instâncias tão distintas quanto as classes em oposição ou quanto os países imperialistas e os submetidos em luta – o bem e o mal do passado são retomados, ainda que retrabalhados. Os fios contraditórios que os unem todos em uma sociabilidade orientada apenas à acumulação se apagam parcialmente em face de concórdias lineares como a do heroísmo que gera o gozo (o *supereu* gerando diretamente o *isso*) ou como a do nacional vencendo o opressor estrangeiro (concórdia de classes e grupos internos contra o exterior).

Quando os tensos equilíbrios tanto do capitalismo fordista quanto dos países que se reclamavam socialistas se rompem, então um muralismo pós-fordista, de perfil liberal, ao reconhecer que a linearidade do progresso não existe, firma o pé numa outra ideologia, a de que a transformação não é possível. Assim sendo, pretendendo-se críticas, as artes plásticas do capitalismo pós-fordista passam a recusar a linearidade para recusar, também, a possibilidade de outro modo de produção: a dor, o sofrimento, o impasse e a desesperança ou o gozo da representação albergada sob os tetos do liberalismo tornam-se, fechados, dísticos da arte crítica atual. O realismo capitalista impera sem abrir energias de luta transformadora estrutural. Assim, boa parte da arte crítica vagou, do século XX ao século XXI, direto da crença no futuro que viria inexorável à proclamação de que nenhum futuro distinto virá.

A arte mural mais plenamente crítica do século XXI será aquela que, avançando para além dos limites da compreensão artística e política da crítica do século XX, consiga também superar a legitimação ainda que negativa do capitalismo como única possibilidade de sociabilidade atual. A arte como contradição, quando alcançar a sociedade como contradição, será a expressão mais pujante da negatividade capitalista somada à positividade revolucionária. O máximo da demonstração de que a história se faz pelas costas dos sujeitos para o máximo da demonstração de que são os sujeitos enquanto massas que fazem a história. A luta, que nada pode, tudo pode. A arte, que é determinada pela mercadoria e nada logra para além desta, enseja irromper contradições latentes e, daí, despontar potências.

No século XX, a arte mural crítica foi o negativo que se sobrepunha ao capital ou o positivo rápido de um futuro já consolidado e conciliado. No século XXI, de horizontes de luta parcial sempre contidos no liberalismo, o desejo do capital se inscreve no inconsciente das subjetividades. Trata-se, então, de fazer a dialética do negativo com o positivo: o negativo da revolução contra o negativo inativo do realismo capitalista; o desejo do socialismo por sobre o desejo do capital. Mais mural é mais expressão da plena negatividade contra a negatividade resignada e, ao mesmo tempo, mais pleno desejo contra o desejo dado.

Capitalismo de desastres e a "tempestade perfeita" no Rio Grande do Sul

FLÁVIA BRAGA VIEIRA

A enchente no Rio Grande do Sul, que teve início no final de abril de 2024, afetou severamente diversas regiões do estado, particularmente a Grande Porto Alegre e as áreas ao redor dos rios dos Sinos, Taquari e Caí. O desastre foi resultado de chuvas intensas e persistentes, que provocaram o transbordamento desses rios, causando inundações catastróficas. A situação foi exacerbada por uma combinação de fatores climáticos e pela falta de infraestrutura adequada para a gestão de águas pluviais, levando a uma crise humanitária significativa.

Até o começo de julho de 2024, os dados oficiais apontavam 182 mortes confirmadas e 29 pessoas desaparecidas. Além disso, mais de 500 mil pessoas foram desalojadas e cerca de 40 mil perderam suas casas, com um impacto devastador sobre a infraestrutura local e os serviços essenciais. Pressionados, os governos federal e estadual mobilizaram recursos para uma resposta emergencial, enquanto a sociedade civil atuou no sentido de uma expressiva ajuda humanitária. No entanto, a magnitude do desastre revelou a necessidade urgente de uma revisão das políticas de prevenção e resposta a desastres no Brasil.

Os desastres ambientais, cada vez mais frequentes, têm revelado a natureza predatória do capitalismo e suas consequências devastadoras para o meio ambiente e as comunidades locais. Este artigo analisa, à luz do caso do Rio Grande do Sul, as conexões entre os desastres ambientais e a reprodução do capitalismo e das desigualdades sociais.

A centralidade dos desastres no capitalismo

A relação entre capitalismo e degradação ambiental tem sido amplamente analisada por diversos autores[1], os quais argumentam que a lógica capitalista de exploração e dominação, com ênfase no crescimento ilimitado, é intrinsecamente incompatível com a sustentabilidade ambiental. Mais do que isso, as análises indicam que a acumulação e valorização do capital só são possíveis com a destruição contínua de suas duas fontes essenciais: o trabalho humano e a natureza.

Para Naomi Klein, desastres ambientais são a faceta mais recente dessa característica estrutural, uma vez que vêm sendo usados por governos e corporações para impor reformas econômicas radicais, privatizações e cortes de programas sociais, beneficiando um pequeno grupo de elites à custa da maioria da população[2]. A autora defende que nas últimas décadas desenvolveu-se uma "doutrina do choque", isto é, uma estratégia de aproveitar o estado de desorientação e choque das populações após um desastre para implementar rapidamente políticas econômicas neoliberais. Klein argumenta que, quando as pessoas estão atordoadas e desestabilizadas por crises, como guerras, ataques terroristas, desastres ou crises econômicas, ficam menos capazes de resistir a mudanças drásticas. Essas mudanças são frequentemente planejadas e promovidas por *think tanks* e economistas neoliberais, que veem os choques como oportunidades para reestruturar a economia de acordo com seus ideais de livre mercado.

Desastres não são, portanto, fenômenos naturais, mas sim construções sociais que resultam de decisões políticas e econômicas. Embora fenômenos naturais, como chuvas intensas e furacões, ocorram independentemente das ações humanas, o conceito de desastre se configura quando esses fenômenos interagem com as condições criadas pelas relações sociais. Os desastres que emergem da interação com eventos naturais são fruto das condições humanas que amplificam ou mitigam os impactos desses fenômenos. A ocorrência de um desastre é moldada pela forma como as classes sociais se hierarquizam entre si e se relacionam com seu entorno natural.

---

1 John Bellamy Foster, *A ecologia de Marx: materialismo* e natureza (trad. Maria Teresa Machado, Rio de Janeiro, Civilização Brasileia, 2005); Jason W. Moore, *Capitalism in the Web of Life: Ecology and the Accumulation of Capital* (Nova York, Verso, 2015).

2 Naomi Klein, *A doutrina do choque: a ascensão do capitalismo de desastre* (trad. Vania Cury, Rio de Janeiro, Nova Fronteira, 2008).

Existem, também, desastres exclusivamente sociais, oriundos da própria atividade capitalista industrial. Na conjuntura brasileira recente, os rompimentos de barragens de mineração da Vale e o afundamento de bairros inteiros em Maceió pela operação da Braskem são exemplos evidentes. Contudo, seja em desastres difusamente capitalistas (os que vêm sendo chamados de ambientais ou climáticos), seja em desastres diretamente capitalistas (os que são causados por uma empresa ou corporação), é possível reconhecer alguns padrões de reprodução capitalista.

Um olhar crítico mais aprofundado para os desastres revela como o capitalismo não apenas contribui para a ocorrência de desastres, mas também se beneficia deles. A valorização do capital após um desastre muitas vezes resulta em uma reconfiguração das práticas de exploração e na perpetuação de um ciclo de vulnerabilidade e crise.

Em 2006, um ano após o furacão Katrina destruir New Orleans, Neil Smith afirmou que "não existe isso de desastre natural"[3]. Em seu breve e elucidativo artigo, o geógrafo marxista conseguiu resumir o que militantes e cientistas sociais comprometidos afirmavam por décadas: o capitalismo transforma eventos naturais em desastres, e estes reproduzem e aprofundam as desigualdades de classe e raça da sociedade. Segundo o autor, ainda que algumas frações menores e locais do capital tenham prejuízos momentâneos quando da ocorrência de desastres (como o setor de serviços nas regiões de turismo), outras parcelas mais poderosas aproveitam esses momentos para aumentar lucros e "resolver" alguns empecilhos à sua valorização (como a especulação imobiliária, que "limpa" os terrenos de pessoas empobrecidas e negras para a implantação de projetos habitacionais de luxo). Smith demonstrou também como a magnitude dos desastres é resultado direto de ações deliberadas dos poderes econômicos e políticos, que deixam de tomar decisões técnicas capazes de tornar o ambiente humano mais seguro. Essa "irresponsabilidade organizada"[4] tem como objetivo a redução de custos e garantia da rentabilidade

[3] Neil Smith, "There's no Such Thing as a Natural Disaster", *Understanding Katrina*, Social Science Research Council, 11 jun. 2006, disponível on-line.

[4] Noção cunhada pelo sociólogo alemão Ulrich Beck, em *Sociedade de risco: rumo a uma outra modernidade* (trad. Sebastião Nascimento, São Paulo, Editora 34, 2010), e refinada no Brasil por Henri Acselrad, Selene Herculano e José Augusto Pádua (orgs.), em *Justiça ambiental e cidadania* (Rio de Janeiro, Relume Dumará, 2004) e Henri Acselrad, "Disputas cognitivas e exercício da capacidade crítica: o caso dos conflitos ambientais no Brasil", *Sociologias*, v. 16, n. 35, 2014, p. 84-105, para analisar os conflitos e desastres ambientais, especialmente da mineração e da indústria do petróleo.

das empresas capitalistas, em detrimento da segurança de pessoas e comunidades negras e empobrecidas.

Portanto, a análise de desastres deve levar em conta não os eventos naturais, mas sim as dinâmicas capitalistas que os produzem. A "tempestade perfeita" no Rio Grande do Sul resultou da confluência de fatores estruturais e conjunturais que, juntos, amplificaram a magnitude do desastre e suas consequências para as comunidades atingidas.

A "tempestade perfeita" no Rio Grande do Sul

Em contextos como os do Brasil recente, a negligência e a exploração intensiva da natureza são exacerbadas por uma conjuntura histórica de desregulamentação e sucateamento das instituições estatais. O enfraquecimento das estruturas públicas e a flexibilização das normas ambientais têm contribuído para a intensidade e a frequência dos desastres. Além disso, o negacionismo climático e a resistência a reconhecer as mudanças nas condições ambientais ampliam a magnitude dos desastres, como observado na atual crise.

Por mais de dois meses, desde o final de abril, o estado do Rio Grande do Sul não saiu dos noticiários. Todo o país acompanhou detalhes sobre a destruição das muitas vidas e modos de vida e de trabalho que, literalmente, foram levados água abaixo. As semanas foram se passando e, junto à angústia de acompanhar a água que não baixava e à tristeza causada pelo número de mortos subindo a cada dia, também fomos sendo familiarizados com informações e debates muitas vezes restritos aos especialistas e aos que sofrem recorrentemente com os desastres climáticos.

Ficamos sabendo que o atual governador do estado, Eduardo Leite, havia aprovado, no começo de seu primeiro mandato, um código ambiental que alterou 480 normas de uma legislação ambiental estadual considerada até então exemplar, com o objetivo de "facilitar o ambiente de negócios". Descobrimos que o sistema de contenção das cheias do Guaíba, construído nos anos 1970 e eficiente em seu propósito por mais de cinquenta anos, vinha sendo sucateado, juntamente com as equipes técnicas que o operam, para fazer valer a ordem máxima mundial de "redução de gastos governamentais", uma vez que, no neoliberalismo reinante, Estado é algo ruim e os agentes do livre mercado é que são eficientes. Jornais citaram uma barragem que colapsara parcialmente e mencionaram que havia outras em risco de rompimento, possivelmente potencializando a catástrofe. Tais informações rapidamente saíram das manchetes, pois não se discute segurança de barragens em um país orgulhoso de sua "matriz energética renovável".

Nessa enxurrada de informações atordoantes, passamos a juntar pontos de compreensão sobre a catástrofe. De um lado, os negócios do mercado livre e desimpedido de salvaguardas ambientais poderiam ser a causa de um regime de chuvas e cheias mais severas na região. De outro lado, o estado enfraquecido pelo *vade mecum* neoliberal não tinha condições de trabalhar nem na prevenção nem na situação de emergência. Como em um roteiro surrealista, o governador se antecipou, já nos primeiros dias da tragédia, em afirmar que não era hora para apontar culpados e, ao mesmo tempo, divulgou uma chave PIX da Associação dos Bancos do Rio Grande do Sul para receber doações.

Em paralelo, na escala nacional, outros teatros do absurdo foram sendo ensaiados. O governo federal, pressionado por avalanches de *fake news* bolsonaristas que colocavam a culpa em Lula, reforçou o coro de Eduardo Leite sobre os "responsáveis pela tragédia" e anunciou a suspensão da dívida do governo gaúcho. É certo que, além das fotografias com prefeitos ultraconservadores, o governo federal fez muito no imediato do desastre, sem o que a situação teria sido ainda mais calamitosa: envio de apoio de todos os tipos para o resgate e atendimento emergencial da população (recursos de saúde, alimentação, Defesa Civil, Forças Armadas e policiais); aprovação da liberação dos limites de gastos federais para atendimento do desastre; e nomeação de uma secretaria especial, com *status* de ministério, para acompanhamento e coordenação das ações federais de reconstrução. Na continuidade, entretanto, precisa-se estar atento.

O desastre e o neoliberalismo

O cenário atual de desastres e crises humanitárias no Brasil não pode ser compreendido sem se considerar o impacto do neoliberalismo sobre a estrutura do Estado. O neoliberalismo, como uma fase do capitalismo, promoveu um enfraquecimento generalizado do Estado em suas diversas escalas, comprometendo sua capacidade de prevenção e reação aos desastres.

Nos últimos quarenta anos, o neoliberalismo tem levado a uma redução significativa do papel do Estado, com a implementação de políticas que visam diminuir o gasto público e promover a privatização de serviços essenciais. No Brasil, essa lógica não se restringe apenas aos governos mais recentes, como os de Lula, Bolsonaro e Temer, mas afeta todos os governos pós-ditadura militar, em maior ou menor grau. Essa abordagem se reflete não apenas em uma redução orçamentária, mas também em uma priorização da eficiência econômica e da geração de lucro, em detrimento da capacidade de lidar com as reais necessidades da população[5].

A combinação de neoliberalismo com práticas econômicas intensivas quanto à exploração da natureza, como o agronegócio e a mineração, aumenta os riscos e amplia os impactos dos desastres. Projetos como os Programas de Aceleração do Crescimento (PACs) nos governos petistas, que visavam ao crescimento econômico através da construção civil, também resultaram em maior destruição ambiental e intensificação das práticas extrativistas[6]. Alterações recentes em legislações, como o Código Florestal e o Marco do Saneamento, promovem a privatização de serviços de água e esgoto e facilitam a exploração dos recursos naturais, contribuindo para a maximização dos impactos desastrosos e a redução da capacidade de resposta estatal. A atual crise no Rio Grande do Sul, por exemplo, expõe as falhas de um sistema que é regulado por uma lógica que favorece o capital privado e a redução de gastos públicos. Em situações de emergência, o governo se vê forçado a recorrer a medidas emergenciais e ao financiamento privado para cobrir as lacunas deixadas pela redução dos recursos estatais.

A lógica neoliberal promove concentração de recursos e desigualdade crescente. Pequenos empresários e trabalhadores vulneráveis, como pequenos agricultores e pequenos comerciantes, raramente têm acesso aos recursos e créditos necessários para se recuperar. Em contraste, grandes empresas e setores privilegiados têm maior capacidade de acessar recursos e linhas de crédito, o que perpetua e agrava a desigualdade. Ainda que tenha sido anunciado um diminuto auxílio emergencial para compra de móveis e eletrodomésticos em benefício das pessoas atingidas pelo desastre, boa parte dos recursos que estão sendo destinados para reconstrução aparece em forma de linhas de crédito. A sociedade gaúcha – especialmente as famílias mais

---

5 Perry Anderson, "Balanço do neoliberalismo", em Emir Sader e Pablo Gentili (orgs.), *Pós-neoliberalismo: as políticas sociais e o Estado democrático* (Rio de Janeiro, Paz e Terra, 1995), p. 9-23; David Harvey, *A Brief History of Neoliberalism* (Oxford, Oxford University Press, 2005); e Naomi Klein, *A doutrina do choque*, cit..

6 Rodrigo Salles Pereira dos Santos e Bruno Milanez, "Neoextrativismo no Brasil? Uma análise da proposta do novo marco legal da mineração", *Revista Pós Ciências Sociais*, v. 10, n. 19, jan.-jun., 2013.

empobrecidas, os pequenos e médios produtores e comerciantes – pode vir a passar por um processo de endividamento sem precedentes, que beneficiará enormemente o sistema financeiro. A financeirização que se alastra em todas as dimensões da vida no neoliberalismo se reproduz também no desastre[7].

É provável que haja linhas de crédito para o setor agrícola, mas pequenos agricultores, que frequentemente já estão endividados, podem não conseguir acessá-las. Grandes redes varejistas, como a Havan, podem receber linhas de crédito para cobrir prejuízos, enquanto pequenos comércios em cidades como Roca Sales e Muçum, que quase desapareceram, podem não ter acesso ao mesmo tipo de apoio por não se habilitarem para receber os créditos privados.

Outros setores capitalistas também poderão se beneficiar da destruição causada pelas enchentes, de forma semelhante ao que ocorre em situações de guerra. A reconstrução necessária cria oportunidades para os grandes, como já demonstrava Smith[8]. As empreiteiras, silenciosamente, podem estar satisfeitas com a situação, pois terão a oportunidade de reconstruir estradas, ferrovias, moradias, prédios públicos, hospitais e escolas. Tudo a ser realizado por grandes empresas privadas, uma vez que o Estado não possui mais a estrutura necessária para realizar essas tarefas por conta própria. Uma abordagem alternativa seria permitir que a população reconstruísse suas próprias casas através de projetos simplificados e sem licitação, mantendo a tradição de autoconstrução comunitária. No entanto, essa solução não parece estar no cenário atual. A flexibilização temporária de legislações, como a dispensa de licitação, pode beneficiar grupos econômicos durante o processo de alocação de recursos. Em períodos eleitorais, essa prática é especialmente preocupante, pois pode resultar em uso político dos recursos e favorecimento de determinados grupos capitalistas em detrimento das populações mais vulneráveis.

Portanto, a liberação de recursos deve ser acompanhada de um plano que priorize as classes e grupos sociais vulneráveis. Garantir que o afluxo de recursos não fortaleça apenas os setores reacionários e o grande capital é essencial, assim como o foco na ajuda aos mais vulneráveis, que só conseguirão se recuperar com o suporte do Estado e da sociedade. Contudo, o fato de a consultoria contratada

[7] Lena Lavinas et al., *Financeirização: crise, estagnação e desigualdade* (São Paulo, Contracorrente, 2024).

[8] Neil Smith, "There's no Such a Thing as a Natural Disaster", cit.

para elaborar e gerenciar a reconstrução no Rio Grande do Sul ser a mesma que trabalhou na reconstrução de New Orleans aumenta ainda mais a possibilidade de utilização dessa tragédia para avançar nas políticas neoliberais vigentes.

Estado e sociedade na reconstrução

A situação atual revela uma realidade complexa em que a fragilidade das estruturas estatais e a capacidade de resposta da sociedade desempenham papéis cruciais na gestão de desastres. A crise em Porto Alegre e em outras regiões afetadas expõe a deterioração deliberada das instituições públicas ao longo das últimas décadas, com processos de privatização e desinvestimento que enfraqueceram de maneira significativa as capacidades do Estado. Historicamente, os governos estadual e municipal passaram por um processo de desestruturação que incluiu a privatização de serviços essenciais e a redução dos recursos alocados a instituições importantes para a prevenção e mitigação de desastres. As defesas civis, por exemplo, enfrentam a falta de concursos públicos e de pessoal capacitado, que é agravada pela aposentadoria de servidores e pela ausência de reposição de quadros. Essa desestruturação proposital deixou um vácuo crítico na capacidade de resposta a emergências.

Nesse contexto, a atuação da sociedade tem sido fundamental para mitigar os impactos dos desastres. Sem a mobilização das próprias pessoas, o número de mortes e o colapso humanitário poderiam ter sido muito maiores. Iniciativas da sociedade civil, como doações e esforços voluntários, têm sido essenciais para a assistência imediata e a resposta ao desastre. Além disso, a presença de profissionais de saúde mental nos abrigos destaca a necessidade de apoio contínuo para lidar com os danos psicológicos prolongados causados pelo desastre. Entretanto, a resposta da sociedade não é suficiente para resolver os problemas estruturais. A falta de planejamento e a necessidade de reforçar as estruturas estatais são evidentes. O fortalecimento das instituições públicas, como as universidades e centros de pesquisa, é crucial para a prevenção e gestão de desastres. O Centro Nacional de Monitoramento e Alerta de Desastres (Cemaden) é exemplo de estrutura que precisa de financiamento e apoio contínuos – seu orçamento foi reduzido significativamente ao longo dos últimos anos, comprometendo sua eficácia na prevenção e resposta a desastres.

Além disso, a preparação da população e a capacitação comunitária são aspectos essenciais para uma gestão eficaz de desastres.

A experiência de locais onde existem núcleos comunitários de defesa civil demonstra a importância de capacitar a população para agir de maneira informada durante desastres. Esses núcleos ajudam a preparar os moradores para identificar sinais de alerta, rotas de fuga e locais seguros, o que pode salvar vidas e reduzir os danos. Ainda, é crucial planejar a assistência pós-desastre de forma abrangente. A reconstrução das moradias e a recuperação econômica das comunidades afetadas são tarefas que exigem planejamento e recursos adequados. Os mais vulneráveis, que são frequentemente os mais impactados pelos desastres, enfrentam um empobrecimento significativo e prolongado. Portanto, é necessário desenvolver políticas que abordem não apenas a assistência imediata, mas também a recuperação e reestruturação a longo prazo.

O fortalecimento das estruturas de Estado e a preparação da população para desastres são passos fundamentais para mitigar os impactos e promover uma resposta mais eficaz. É imperativo que o Estado e a sociedade trabalhem juntos para construir uma abordagem mais robusta e sustentável para a gestão de desastres, que vá além das soluções paliativas e aborde as causas estruturais dos problemas enfrentados. As propostas para a realocação das famílias que perderam suas casas ou que não poderão voltar para suas residências, por exemplo, ainda são vagas, e as informações, desencontradas. Já houve anúncio de inclusão no programa Minha Casa, Minha Vida para famílias de baixa renda e de compra de casas e apartamentos através da Caixa, mas o plano não é claro e, ao que parece até agora, não faz menção a processos de consulta à população atingida para definição de seu destino. O que é dos bancos e das grandes empresas parece garantido. O que é do povo, não.

Conclusão

A enchente de 2024 no Rio Grande do Sul revelou a gravidade dos desastres em um contexto de enfraquecimento do Estado e aprofundamento das políticas neoliberais. As intensas chuvas e o aumento dos níveis dos rios resultaram em inundações devastadoras, afetando gravemente a infraestrutura urbana e as áreas rurais. As imagens de cidades submersas e a urgência de evacuação de milhares de pessoas destacaram a insuficiência da estrutura estatal para lidar com tais crises, exacerbada por décadas de políticas que priorizaram a redução de gastos públicos e a privatização de serviços essenciais. A resposta imediata incluiu a mobilização de forças federais, como Defesa Civil e Forças Armadas, e o fornecimento de ajuda humanitária, mas a magnitude do desastre evidenciou a limitação estrutural e a falta de preparo para enfrentar emergências dessa escala. As causas subjacentes a essa "tempestade perfeita" incluem políticas de desenvolvimento que priorizam o crescimento econômico em vez da sustentabilidade ambiental. A desregulamentação ambiental e a redução dos investimentos estatais é que deixaram as comunidades vulneráveis.

A resposta governamental imediata ao desastre no Rio Grande do Sul foi significativa em termos de envio de ajuda emergencial, mas, a longo prazo, é necessária uma abordagem que inclua a participação das comunidades na tomada de decisões e no planejamento da reconstrução. Esta precisa considerar não apenas a recuperação física, mas também o fortalecimento da resiliência comunitária e a inclusão social. Movimentos sociais e organizações locais desempenharam um papel crucial na articulação das comunidades, destacando a importância da participação comunitária na gestão de desastres.

As consequências do desastre foram devastadoras, com perdas humanas, destruição de habitações e infraestruturas e danos significativos aos ecossistemas locais. A recuperação das áreas afetadas é um processo complexo, que exige não apenas a reconstrução física, mas também o apoio psicológico e social às comunidades atingidas. Além disso, é importante reconhecer que a desigualdade produzida pela sociedade capitalista é intensificada nas situações de desastres ambientais. Portanto, embora haja ações que podem ser feitas para mitigar os impactos imediatos dos desastres, como a atualização de certas infraestruturas e a adoção de tecnologias mais eficientes, essas medidas não substituem uma transformação estrutural significativa na forma como a sociedade se relaciona com a natureza e entre si. O desafio é encontrar soluções que não apenas tratem dos sintomas, mas que também abordem as causas profundas dos desastres, promovendo uma mudança mais ampla e radical nas dinâmicas econômicas e sociais que os engendram.

É determinante que a alocação de recursos e o planejamento para a reconstrução sejam feitos com uma perspectiva classista e focada na redução das desigualdades. Os recursos devem ser direcionados para aqueles que realmente necessitam de apoio, e não apenas para os grandes capitalistas que já possuem capacidade de se reerguer por conta própria. É essencial que haja um plano estruturado e transparente que garanta que os recursos cheguem a quem realmente precisa e que a reconstrução seja feita de forma a minimizar o aprofundamento das desigualdades e a fortalecer as estruturas comunitárias e estatais.

O imperialismo e as políticas de globalização neoliberal

ANTÓNIO JOSÉ AVELÃS NUNES

1.

Vivemos em tempo de globalização. E não falta quem queria convencer-nos de que os males do mundo, sendo males da globalização, são males inevitáveis, tão inevitáveis como a própria globalização, consequência necessária da revolução científica e tecnológica do nosso tempo. Não faria sentido, por isso, ser contra a globalização, porque, tal como o sol nasce todos os dias, o progresso científico e tecnológico é algo inerente às sociedades humanas, e a globalização é filha dele.

É, em última análise, o pseudoargumento de que *não há alternativa* ao capitalismo e ao neoliberalismo, que está por detrás das *políticas de globalização neoliberal.* Pseudoargumento utilizado também pelos adeptos da *esquerda neoliberal*, uma esquerda que lamenta, com uma lágrima ao canto do olho, o desemprego, a precariedade, as desigualdades e a exclusão social, mas que se recusa a identificar as suas causas estruturais para não ter de as combater, colocando tudo na conta da *globalização incontornável.*

Essa é uma leitura amiga do capital financeiro, que é o grande impulsionador (e o único aproveitador) da *política de globalização neoliberal* e o autor e difusor dessa visão ideológica (distorcida) sobre a natureza e o significado da globalização. Carregando nas tintas para sublinhar bem a minha ideia, direi que acreditar na autenticidade desse retrato da globalização é o mesmo que acreditar que o lançamento das bombas atômicas sobre Hiroshima e Nagasaki foi uma consequência inevitável do desenvolvimento científico na área da física nuclear, e que a utilização maciça de armas químicas contra o povo vietnamita durante a Guerra do Vietnã foi uma consequência incontornável do desenvolvimento científico na área da química.

Esses crimes de guerra (verdadeiros crimes contra a humanidade) foram *decisões políticas* tomadas no quadro da doutrina imperialista dos Estados Unidos. Pois bem. A política de globalização neoliberal é isto mesmo: uma guerra contra os trabalhadores que não tem poupado recursos à especulação criminosa sobre produtos financeiros derivados (verdadeiras armas de destruição em massa, na conhecida designação de Warren Buffet), sobre matérias-primas, sobre combustíveis, sobre alimentos, enfim, à especulação sobre a vida de milhões de pessoas, uma guerra que não poupa recursos a todo tipo de prática criminosa que caracteriza o capitalismo do crime sistêmico do nosso tempo.

As políticas de globalização neoliberal são inspiradas nos princípios da *contrarrevolução monetarista* (Hayek, Milton Friedman...) e nos dogmas da ideologia neoliberal. Trata-se de políticas impostas pelo grande capital financeiro, que vêm condenando povos inteiros ao empobrecimento acelerado, cortando os direitos e os rendimentos dos trabalhadores, condenando ao desemprego e à precariedade quase metade dos jovens, aumentando o número dos pobres que trabalham, agravando a exclusão social, traduzindo-se numa autêntica guerra civil (uma guerra de classes à escala mundial) que, neste mundo antropofágico, produz todos os anos (num tempo em que os ganhos da produtividade permitem a criação de riqueza a níveis até há pouco insuspeitados) tantas vítimas da fome ou de doenças causadas pela fome quantos os mortos da Segunda Guerra Mundial.

Nos primeiros tempos da Revolução Industrial, os operários viram nas máquinas o seu *inimigo* e por isso as destruíram e sabotaram. Mas a realidade revelou-se mais forte do que a fantasia, e os trabalhadores não tardaram a compreender que o seu inimigo de classe não eram (nem poderiam ser) as máquinas, mas uma outra classe social. Ninguém de bom senso e de boa-fé pode cometer hoje o mesmo erro, considerando que a origem dos nossos males está na revolução científica e tecnológica. Seria imperdoável que o fizéssemos: a revolução científica e tecnológica não pode ser confundida com a globalização nem pode ver-se nesta o resultado inevitável daquela.

O que vai mal na globalização atual não é a revolução científica e tecnológica que torna possíveis alguns dos instrumentos da política de globalização neoliberal, mas o *neoliberalismo* que a alimenta, a estrutura dos poderes em que ela se apoia, os interesses que serve, que são cada vez mais os interesses da pequena elite do grande capital financeiro-especulador. A crítica da globalização neoliberal não pode, pois, confundir-se com a defesa do regresso a um paraíso perdido qualquer, negador da ciência e do progresso. Como a história tem demonstrado, o desenvolvimento científico e tecnológico é o caminho da libertação do homem.

2.

A partir de 1967, as crises sucederam-se nas economias capitalistas. Mas os primeiros sinais da crise estrutural do capitalismo foram a quebra unilateral dos Acordos de Bretton Woods por parte dos Estados Unidos (1971) e as chamadas crises do petróleo (1973-75 e 1978-80). Esses dois episódios (que nos colocaram diante da estagflação e trouxeram para o primeiro plano a tendência da queda da taxa média de lucro) mostraram os limites do Estado keynesiano e das suas políticas e colocaram seus intelectuais numa posição defensiva. Dessas crises resultou a vitória da contrarrevolução monetarista e a substituição do *consenso keynesiano* pelo chamado *Consenso de Washington*, que procurou "codificar" os dogmas inscritos no catecismo monetarista e neoliberal.

As regras fundamentais desse novo código resultam do propósito de *compensar a subida dos custos financeiros*, contrariar a queda *tendencial da taxa média de lucro e entregar ao capital os ganhos da produtividade*. Sintetizando, direi que essas regras apontam para a plena liberdade de comércio; a *liberdade absoluta de circulação de capitais* em escala mundial; a *desregulação* dos mercados, em especial os mercados financeiros; a privatização dos *serviços públicos* e dos setores estratégicos da economia, nos quais assentam a soberania e a independência nacionais; o esvaziamento da contratação coletiva, o ataque aos *direitos fundamentais dos trabalhadores*, o desmantelamento do *Estado social*.

Após o desmoronamento da União Soviética e da comunidade socialista, os neoliberais de todos os matizes convenceram-se, mais uma vez, de que o capitalismo tinha garantida a eternidade, podendo regressar impunemente ao modelo puro e duro do século XVIII. As políticas neoliberais vieram acentuar a exploração dos trabalhadores, assumindo sem disfarce o gene do capitalismo como a *civilização das desigualdades*. Contando com o apoio de todos os aparelhos de produção e difusão da ideologia dos interesses dominantes, o neoliberalismo acabou por desacreditar o keynesianismo e afirmou-se como a ideologia dominante: lendo as coisas a partir da Europa, os partidos da social-democracia ajudaram na "morte" de Keynes e têm-se esforçado por mantê-lo morto e enterrado, fiéis ao lema tatcheriano de que não há alternativa ao capitalismo e ao neoliberalismo. O neoliberalismo é hoje a expressão ideológica da hegemonia do capital financeiro sobre o capital produtivo, hegemonia construída e consolidada com base na ação do Estado capitalista, que é atualmente, a olhos nus, a ditadura do grande capital financeiro. E esse tem sido um Estado particularmente violenta na guerra contra os trabalhadores, colocando em xeque, mesmo na Europa e nos Estados Unidos, os princípios fundamentais do Estado democrático de direito.

Ao longo da década de 1990, a aplicação do Consenso de Washington permitiu ao grande capital financeiro recuperar a liberdade de movimentos de que gozara nos anos 1920 e que conduziu à Grande Depressão. Graças às políticas neoliberais, o proclamado capitalismo sem crises deu lugar ao capitalismo cassino, ao capitalismo do risco sistêmico, ao capitalismo sem risco e sem falências para os bancos, ao capitalismo do crime sistêmico.

3.

A globalização neoliberal é, antes e acima de tudo, um projeto político, levado a cabo de forma sistemática pelos grandes senhores do mundo, apoiados, como nunca antes na história, pelo poderoso arsenal dos aparelhos produtores e difusores da ideologia dominante, responsáveis pelo totalitarismo do pensamento único. Todo o edifício da globalização neoliberal (o império do capitalismo neoliberal) foi obra construída por políticas ativas orientadas para alcançar os resultados que nos querem apresentar como consequências inevitáveis do progresso científico e tecnológico.

Foram as instituições do poder político (os Estados nacionais e as organizações internacionais dominadas pelo capital financeiro e pelos seus Estados) que desmantelaram todas as estruturas e mecanismos de regulação e de controle da atividade financeira que vinham dos tempos do combate à Grande Depressão dos anos 1930, contando com a cumplicidade ativa de uma regulação amiga do mercado.

Os Estados Unidos abriram o caminho, abolindo, em 1974, os controles de capitais. Em 1979 foi a vez do Reino Unido, seguido pelo Japão em 1980. Na Europa, o Tratado de Maastricht (1992) veio impor aos Estados-membros da União Europeia o princípio da livre circulação de capitais, não só dentro do espaço comunitário, mas também nas relações com países terceiros. Em geral, os membros do chamado Grupo dos Sete (G7) desempenharam um papel decisivo nesse processo, ao imporem a todo o mundo a lógica libertária no que toca aos movimentos de capitais. O Fundo Monetário Internacional (FMI – controlado, de fato, desde há muito, pelas grandes potências capitalistas, e, em particular, pelos Estados Unidos) foi o instrumento escolhido para, em nome da chamada comunidade internacional, executar essa missão. A partir da década de 1970, sempre que um país recorre aos serviços do FMI, este condiciona o apoio pretendido à aceitação, pelo país em dificuldades, dos princípios da livre convertibilidade da moeda e da livre circulação internacional de capitais.

A Organização Mundial do Comércio (OMC), que em 1995 substituiu o Acordo Geral de Tarifas e Comércio (GATT), passou a aplicar os princípios do livre-cambismo não apenas aos produtos industriais e agrícolas, mas também aos serviços, aos investimentos e à propriedade intelectual, acentuando o peso do livre-cambismo enquanto ideologia das potências dominantes ao proclamar que o caminho do desenvolvimento exige a plena liberdade de comércio e a liberdade absoluta de circulação de capitais. A concretização do programa neoliberal inscrito no Consenso de Washington tem sido facilitada pela emergência de um verdadeiro mercado mundial de força de trabalho, um elemento novo na caraterização do capitalismo global, que muitos consideram a principal consequência social da mundialização. Essa nova realidade (que Lênin não poderia ter em conta em 1916, quando publicou o seu estudo sobre o imperialismo[1]) significa que foi colocado à disposição do grande capital um enorme exército industrial de reserva, que acentuou dramaticamente a concorrência entre os trabalhadores em escala mundial e veio constituir um estímulo poderoso à deslocalização de empresas em busca de mão de obra mais barata e sem direitos (com a consequente desindustrialização nos Estados Unidos e na Europa Ocidental, um fator fortemente desfavorável aos trabalhadores dos países mais desenvolvidos).

4.

Invocando enganosamente as doutrinas de Adam Smith, os ideólogos do neoliberalismo mudaram mais uma vez a máscara do Estado

[1] Vladímir Ilitch Lênin, *Imperialismo, estágio superior do capitalismo* (trad. Avante! e Paula Vaz de Almeida, São Paulo, Boitempo, 2021)

capitalista, munindo-o de outras armas (Estado regulador ou Estado garantidor) para que ele pudesse cumprir o seu papel nas condições históricas das últimas três ou quatro décadas. Mas o Estado capitalista não desapareceu, nem sequer enfraqueceu, porque, ao contrário de uma certa leitura que dele se faz, o neoliberalismo, como a presente crise tornou evidente, exige um Estado de classe cada vez mais forte. A despeito do falatório sobre o Estado mínimo, só um Estado forte poderia ter criado as condições que permitiram levar à prática os comandos do Consenso de Washington, dispensando o compromisso dos tempos do Estado social keynesiano, substituindo-o pela violência do Estado neoliberal, que se vem abatendo sobre os trabalhadores.

Há mais de cinquenta anos, o primeiro presidente da Comissão Econômica para a América Latina e o Caribe (Cepal), o grande economista argentino Raúl Prebisch, foi capaz de compreender que as soluções liberais (as pílulas do Dr. Jacobson que o FMI impunha então aos países carecidos da sua ajuda) só poderiam concretizar-se pela força das armas. As ditaduras militares que o imperialismo semeou em vários países da América Latina comprovaram o acerto desse diagnóstico.

A partir dos anos 1980, uma abundante literatura, mais frequente nos últimos anos, vem falando de fascismo de mercado ou de fascismo eterno, para traduzir a ideia de que o fascismo absolutamente normal, cotidiano, é um elemento estrutural e sistêmico do capitalismo, cujas formas variam em função das características históricas de cada época[2]. Outro tipo de abordagem vem chamando a atenção para que a concentração extrema do rendimento, as desigualdades crescentes, a proliferação dos pobres que trabalham (pessoas que estão empregadas, mas cujo salário não lhes permite sair da linha da pobreza) são consequências das políticas neoliberais e são fenômenos incompatíveis com a democracia real, reduzindo a democracia a um termo vazio. O combate contra as políticas neoliberais é, por isso mesmo, um combate pela dignidade e pelos direitos dos trabalhadores, mas é também um combate pela democracia[3].

---

[2] Um dos marcos dessa abordagem foi o livro de Bertram Gross, colaborador da administração Roosevelt, intitulado *Friendly Fascism: The New Face of Power in America* (Nova York, M. Evans & Company, 1980).

[3] Recomendo a leitura de Amartya Sen, *Desenvolvimento como liberdade* (trad. Laura Teixeira Motta, São Paulo, Companhia das Letras, 2000); Paul Krugman, *Acabem com esta crise já!* (Lisboa,

5.

Estamos diante da construção de um novo Leviatã, que vem substituindo a *política* pelo *mercado*, governando segundo as chamadas leis do mercado como se essas fossem a *Constituição das Constituições, negando a política e a cidadania, matando a democracia* – um *Leviatã* que, enquadrado pela ideologia neoliberal, identifica-se com o poder econômico e, sobretudo, com o poder financeiro, colocando as *liberdades do capital* acima de tudo e se assumindo, sem disfarce, como a *ditadura do grande capital financeiro*. Não posso analisar aqui os trabalhos dos muitos autores que, com base na análise do que se tem passado nos últimos trinta ou quarenta anos, vêm insistindo na tese de que o projeto político da nova direita consiste em uma economia livre e um Estado forte, um Estado capaz de restaurar a autoridade a todos níveis na sociedade e de dar combate aos inimigos externos e aos inimigos internos[4].

Como sempre na sua história, o Estado capitalista procura negar-se enquanto Estado de classe, enquanto ditadura da burguesia. Mas o fascismo de mercado (ou fascismo amigável) faz parte do DNA do capitalismo. E o Estado capitalista destes tempos da globalização neoliberal é hoje, sem disfarce possível, a ditadura do grande capital financeiro, uma ditadura particularmente violenta, que tem gerado a "globalização da pobreza"[5] e espalhado a exclusão social (a nadificação do outro, como a chamou o cineasta Walter Salles[6]). Vamos assistindo à expansão de formas novas de fascismo, mas, se as condições o exigirem e os povos o permitirem, os gestores do capitalismo não hesitarão em recorrer de novo ao fascismo puro e duro. Os trabalhos

---

Presença, 2012); Ulrich Beck, *A Europa alemã: A crise do euro e as novas perspectivas de poder* (trad. Kristina Michahelles, Rio de Janeiro, Paz e Terra, 2015).

[4] Deixarei apenas algumas sugestões de leitura: Andrew Gamble, *The Free Economy and the Strong State: The Politics of Thatcherism* (Londres, MacMillan, 1994); Wolfgang Streeck, *Tempo comprado: a crise adiada do capitalismo democrático* (trad. Luis Felipe Osório, Marian Toldy e Teresa Toldy, São Paulo, Boitempo, 2018); Wolfgang Streeck, "The Crisis in Contex: Democratic Capitalism and Its Contradicitions", *MPIfG Discussion Paper*, n. 15, out. 2011, disponível on-line; Wolfgang Streeck, *How Will Capitalism End? Essays on a Falling System* (Londres/Nova York, Verso, 2016); e Wolfgang Streeck, "On the Dismal Future of Capitalism", *Socio-Economic Review*, v. 14, n. 1, 2016, p. 164-70.

[5] Michel Chossudovsky, *A globalização da pobreza: impactos das reformas do FMI e do Banco Mundial* (trad. Marylene Pinto Michael, São Paulo, Moderna, 1999).

[6] Walter Salles, "Um filme contra o Brasil indiferente" [entrevista a Jurandir Freire Costa], *Folha de S.Paulo*, Caderno "Mais!", 29 mar. 1998.

do sociólogo alemão Wolfgang Streeck sobre o processo em curso de "esvaziamento da democracia" dizem-nos que o neoliberalismo é incompatível com a democracia e alertam-nos para os perigos que andam no ar[7]. O crime organizado governa o mundo capitalista, o *mundo do crime sistêmico* (como o venho classificando, creio que apropriadamente), marcado por uma série de crimes (*crimes contra a humanidade*, como já vi chamá-los), praticados pelo grande capital financeiro, crimes impunes (por vezes "cobertos" pelas leis feitas para os "legitimar").

6.

A vida mostra que o homem não deixou de ser o lobo do homem. Mas os ganhos de produtividade resultantes da revolução científica e tecnológica que tem caraterizado os últimos duzentos anos de vida da humanidade dão-nos razões para acreditar que podemos construir um mundo de cooperação e de solidariedade, um mundo capaz de responder satisfatoriamente às necessidades fundamentais de todos os habitantes do planeta. Este é um tempo de grandes contradições e de grande desespero. A nossa obrigação é transformar este tempo de desesperança num tempo de esperança.

Já há quase vinte anos, o jornal *The Economist*, uma instituição tão enfeudada aos interesses dominantes e tão militantemente empenhada na defesa do pensamento único, admitia, em editorial muitas vezes citado a este propósito, que a onda de globalização, por muito potentes que sejam os seus motores, pode ser travada[8]. A globalização neoliberal não é, pois, mesmo para os mais fiéis intérpretes, produtores e difusores da ideologia dominante, uma fatalidade. O capitalismo não tem garantida a sua eternidade. Por um lado, o capitalismo globalizado pelo grande capital financeiro ganhou força. Por outro lado, as suas contradições e as suas debilidades estão sujeitas aos efeitos tão bem traduzidos na velha máxima segundo a qual *maior a nau, maior a tormenta.*

Essa é a equação correta para compreender o capitalismo dos nossos tempos, as suas forças e as suas fraquezas. A globalização neoliberal não é uma fatalidade, nem é o fim da história. É um projeto político, suscetível de ser contestado e combatido. O prodigioso

[7] Ver nota 4 e também António José Avelãs Nunes, *O neoliberalismo não é compatível com a democracia* (Rio de Janeiro, Lumen Juris, 2016).

[8] "The Case for Globalisation", *The Economist*, 23 set. 2000.

desenvolvimento científico e tecnológico (a um ritmo galopante nas últimas décadas) permite reforçar a nossa confiança na capacidade dos homens de transformar o mundo, prosseguindo um projeto político que não entregue aos mercados a vida do dia a dia e a construção do futuro.

As contradições desencadeadas pela própria globalização neoliberal dão razão ao diagnóstico formulado, em 1994, por Eric Hobsbawm: "O futuro não pode ser uma continuação do passado, e há sinais, tanto externamente quanto internamente, de que chegamos a um ponto de crise histórica. [...] Nosso mundo corre o risco de explosão e implosão. Tem de mudar"[9]. Tem inteira razão o grande historiador inglês. Acompanho-o nesse diagnóstico e nessa previsão. No atual tempo de crise estrutural do capitalismo (o capitalismo do crime sistêmico), os trabalhadores do Brasil, da América Latina, da Europa, dos Estados Unidos e de todos os continentes hão de compreender a urgência de transformar o mundo, começando por mudar as políticas levadas a cabo nas últimas três ou quatro décadas pelo Estado capitalista, cuja natureza de classe talvez em nenhum outro período da história do capitalismo tenha sido tão evidente como hoje.

Para sairmos dessa caminhada vertiginosa para o abismo, é necessário evitar que o mercado substitua a política, que as "leis do mercado" se sobreponham aos normativos constitucionais e que o Estado democrático ceda o lugar a um Estado tecnocrático qualquer. É um trabalho longo e difícil. Mas não podemos fugir a ele, porque a luta ideológica é hoje uma das frentes principais da luta política, da luta social, da luta de classes, em suma. Vale a pena fazê-lo acompanhados da música de Chico Buarque, que, em tempos de ditadura, sonhava e cantava o seu "sonho impossível", porque acreditava nele e nos apontava o caminho: "Lutar, quando é fácil ceder/ [...] Negar, quando a regra é vender/ [...] E o mundo vai ver uma flor/ Brotar do impossível chão".

[9] Eric Hobsbawm, *A era dos extremos: breve história do século XX: 1914-1991* (trad. Marcos Santarrita e Maria Célia Paoli, São Paulo, Cia. das Letras, 1995), p. 562.

so we called it all the names

Apresentação

THIAGO RODRIGUES, HENRIQUE CARNEIRO e *LUCIANA BOITEUX*

A oportunidade que a *Margem Esquerda* abre para que a chamada "questão das drogas" seja abordada por diferentes olhares marxistas é digna de agradecimentos efusivos, pois pela primeira vez no Brasil analisa-se numa perspectiva materialista histórica um tema que costuma ser um grande ausente ou um anátema entre marxistas.

A vasta literatura brasileira sobre segurança pública e criminalização da pobreza identifica com precisão os mecanismos de exclusão social, de racismo estrutural e os dispositivos de controle das populações marginalizadas. Explicita, também, como o direito penal opera uma maquinaria jurídico-política voltada à sujeição de uma maioria negra, favelada e excluída que é selecionada pelo sistema. Como o narcotráfico faz parte desses cenários de exclusão e de violência, o "problema das drogas" está sempre presente em tais estudos. Não obstante, a questão costuma ser entendida como um dado da realidade e não como um problema em si por auxiliar a estruturação e a reprodução do próprio sistema de exploração de classe, de raça e de gênero.

Ao tratar dessa "questão", não nos referimos às "drogas" em geral, mas às *substâncias psicoativas ilegais*, conjunto de drogas criminalizadas dentro do universo daquelas que interagem com o sistema nervoso central provocando três grandes tipos de *estados alterados de consciência*: *torpor*, *excitação* ou *excursão psicodélica*. Para cada psicoativo legal (como o álcool, o tabaco e o clonazepam) existem muitos outros ilegais (como a heroína, a cocaína ou o LSD). Estas drogas começaram a passar por um processo de proibição em nível mundial a partir dos anos 1910, mas a maconha foi proibida pela primeira vez no próprio Brasil ainda em 1830, por uma portaria da Câmara Municipal do Rio de Janeiro[1].

Contudo, é justamente a proibição que estimula os mercados ilícitos e o narcotráfico, negócio que movimenta estimados 700 bilhões de dólares anuais[2]. As drogas psicoativas (legais e ilegais) são fundamentais para a gestão, reprodução e ampliação do capitalismo em nível global. Em primeiro lugar, pela lucratividade do mercado legal. O mercantilismo não teria sido o que foi sem a aguardente, o tabaco e a fibra do cânhamo (a planta da maconha), assim como o imperialismo da Revolução Industrial não haveria alcançado o seu ápice sem a produção e o comércio globais de ópio, álcool, tabaco, café e cacau, entre outros produtos que são matéria-prima para rentáveis e desejados produtos psicoativos. Desde o século XIX, o desenvolvimento da indústria fármaco-química impulsionou a formação de gigantescas corporações – tais como Johnson & Johnson, a Pfizer, a Novartis, a Merck e a Bayer, entre outras –, geralmente agrupadas sob a rubrica *Big Pharma*.

Em segundo lugar, está a imensa rentabilidade do mercado ilegal de drogas psicoativas, que nutre economias de países inteiros, dinamiza as operações dos paraísos fiscais, fornece liquidez para outras atividades ilegais, financia campanhas políticas, alimenta a corrupção em todos os níveis, capitaliza bancos e empresas dos mais diversos segmentos – tanto no Norte quanto no Sul Global –, enriquecendo parte das burguesias locais e cosmopolitas.

Em terceiro lugar, a repressão ao mercado das drogas ilegais funciona como um eficiente dispositivo para o controle e contenção dos milhões de pessoas que o capitalismo globalizado neoliberal produz todos os anos. Ela serve para administrar como vivem e como morrem imensos exércitos de reserva disponíveis a toda sorte de trabalho precarizado e degradante. A guerra contra pobres, não brancos e periféricos em todo o mundo legitima-se, em grande parte, pela necessidade de combater substâncias consideradas *mortais* e *imorais*, vendidas e consumidas por pessoas entendidas igualmente como *perigosas* e *degeneradas*. A criminalização do tráfico tem por resultado o

[1] Ver Luísa Saad, *"Fumo de negro": criminalização da maconha no pós-abolição* (Salvador, Edufba, 2019).

[2] Ver Thiago Rodrigues, *Drogas e capitalismo: uma crítica marxista* (Rio de Janeiro, Autografia, 2024).

crescimento exponencial do sistema penitenciário, o que, por sua vez, vem afetando inclusive as mulheres, cuja maioria presa responde por crimes envolvendo drogas que são relacionados a condutas motivadas por necessidades financeiras.

Apesar da centralidade da "questão das drogas" para entender as dinâmicas e contradições do capitalismo, no campo da crítica marxista, são poucas as iniciativas sistematizadas voltadas à análise do regime proibicionista e às suas táticas biopolíticas e necropolíticas. No amplo espectro das esquerdas e dos movimentos sociais no Brasil existem posições de valorosos militantes históricos e de personalidades políticas que denunciam e agem há décadas atentos/as ao tema das drogas. No entanto, entre aqueles que se dizem marxistas, continua preponderando o senso comum sobre as drogas psicoativas, assim como um conservadorismo difuso que ecoa avaliações negativas sobre o consumo de psicoativos realizadas há mais de um século por figuras como Bukhárin, Engels e Trótski. Esses juízos foram emitidos em contextos completamente diferentes do atual panorama do mercado global de drogas ilegais e de suas múltiplas violências.

Nada pode ser menos materialista histórico do que apegar-se a análises anacrônicas. Os tempos mudam e, com eles, as formas de interpretação da realidade precisam ser atualizadas para municiar as lutas e resistências. Este dossiê reúne brevíssimas provocações de algumas das pessoas que não se renderam ao senso comum ou ao anacronismo. Com perspectivas diferentes, as leituras a seguir estão alinhadas na defesa da pertinência e da urgência de que a crítica marxista avalie, denuncie e intervenha no tema das drogas, entendendo-o como uma das mais importantes arenas para a luta de classes e suas interseccionalidades no mundo contemporâneo.

O álcool na União Soviética

HENRIQUE CARNEIRO

O movimento socialista europeu era dividido no que diz respeito ao papel do álcool na vida operária no século XIX. Victor Adler defendia uma atitude completamente contrária ao álcool em geral. Karl Kautsky e Friedrich Engels, embora reconhecendo os males causados à saúde pelo consumo excessivo, não condenavam o uso moderado, especialmente de cerveja e vinho. Ao contrário, valorizavam-no como um espaço social único, que permitia não só o lazer como até mesmo a atividade política e sindical no interior das tavernas e cervejarias.

Em seu estudo de 1845 sobre as condições de vida da classe trabalhadora na Inglaterra, Engels também analisou o excesso alcoólico e suas consequências nocivas para a saúde dos trabalhadores como uma espécie de compensação ou consolo diante das carências, misérias e ausência de alternativas[1]. O uso das bebidas se vinculou fortemente com a história da industrialização, representando um espaço de sociabilidade essencial para a constituição dos movimentos trabalhistas europeus. A noção de "esfera pública" moderna, que Jürgen Habermas estudou no que se refere à sua expressão burguesa dos cafés e salões, possui um equivalente na taverna como uma "esfera pública plebeia" que vai ajudar a constituir a "esfera pública operária". No caso da Alemanha, o historiador James S. Roberts mostra essa relação:

[1] Friedrich Engels, *A situação da classe trabalhadora na Inglaterra: segundo as observações do autor e fontes autênticas* (trad. B. A. Schumann, São Paulo, Boitempo, 2008), p. 142.

As bases do movimento trabalhista permanecem estreitamente ligadas à taverna antes da Primeira Guerra Mundial. Karl Kautsky, em 1891, chamou a taverna de "o único baluarte da liberdade política do proletariado" [...] onde o movimento trabalhista se enraíza, a taverna é o seu centro organizacional, uma genuína simbiose se desenvolveu entre a taverna festiva e o movimento trabalhista.[2]

O caso russo, entretanto, foi uma exceção, pois o sistema das tavernas do tsar, instaurado no século XVI, fez do taverneiro um agente do governo, e da taverna, uma zona espionada na qual não se manifestou nenhum movimento social de rebelião, mas, ao contrário, existia um mecanismo de vigilância política, de indução ao abuso alcoólico, de exploração dos camponeses.

O sistema das tavernas do tsar e da cobrança privada das taxas do comércio de vodca, com a destilação mantida como privilégio da nobreza, manteve-se quase concomitante à servidão, abolida em 1862 pelo tsar Alexandre II que, um ano depois, também aboliu o sistema regulatório das bebidas. Dessa data até o estabelecimento do novo monopólio estatal em 1894, vigeu uma exploração privada da fabricação e venda de vodca que fez algumas das maiores fortunas da Rússia.

Mesmo que Lênin tivesse exposto o número de destilarias como índice de desenvolvimento do capitalismo na Rússia, ao ser instaurado um novo monopólio estatal em 1894, ele se opôs a tal medida, embora também tenha escrito contra os populistas *narodniks*, que viam a migração camponesa para a cidade apenas com maus olhos devido à influência urbana corruptora, em particular pela quantidade de lugares de consumo alcoólico. Lênin ressaltava que esse cosmopolitismo urbano era melhor do que a vida servil e apática do campo. Sobre o monopólio de 1894, Lênin escreveu que, "ao invés de menos embriaguez, nós tivemos mais comércio ilícito de destilados, rendas da polícia aumentadas por esse comércio, abertura de pontos de venda oficiais de bebidas sob os protestos da população e mais embriaguez nas ruas"[3].

2 James S. Roberts, "The Tavern and Politics in the German Labor Movement, c. 1870-1914", em Susanna Barrows e Robin Room, *Drinking: Behavior and Belief in Modern History* (Berkeley, University of California Press, 1991), p. 101-2.

3 Vladímir Ilitch Lênin, "Casual notes" [1901], trad. Joe Fineberg e George Hanna, em Collected Works (Moscou, Progress Publishers, 1964), v. 4, p. 407, cit. em George E. Snow, "Socialism, Alcoholism, and the Russian Working Classes before 1917", em Susanna Barrows e Robin Room, *Drinking*, cit., p. 205.

Lênin se recusava a aceitar as explicações segundo as quais a pobreza era resultado unilateral dos efeitos do alcoolismo na classe trabalhadora. Mais tarde, em *O desenvolvimento do capitalismo na Rússia*, ele criticou os socialistas agrários que só viam perspectivas negativas na vida urbana, sendo a pior delas o alto consumo alcoólico. Lênin considerava que essas vivências, juntamente com outros fatores da vida urbana, poderiam até mesmo ser progressivos em relação à vida e aos valores das aldeias que esses trabalhadores haviam deixado[4].

Nicolau II não era abstinente até decidir pela proibição em 1914. Os resultados desastrosos da guerra contra o Japão levaram Nicolau a ouvir a declaração de seu rival, o *kaiser* da Prússia, de que a próxima guerra seria ganha pelo Exército mais sóbrio. A decisão veio, entretanto, na pior hora. Proibir a vodca na véspera da entrada na guerra criou uma queda na arrecadação, um desvio maior da produção agrícola para a destilação, um aumento na corrupção endêmica entre os produtores clandestinos e os encarregados de reprimi-los e grande insatisfação popular entre os bebedores. Numa situação de alta da inflação, a vodca se tornara uma reserva de valor não depreciável estocável.

Quando eclodiu a revolução, a proibição de vodca pelo tsar foi mantida pelo novo governo bolchevique, apesar da forte oposição das massas, que tentaram comemorar a vitória com uma busca eufórica e desesperada de estoques de bebidas nos palácios, que foi duramente reprimida pelo governo revolucionário.

Leon Trótski, em *Questões do modo de vida,* reivindicou a proibição de vodca, feita pelo tsar, como um trunfo irretornável da revolução, afirmando apressadamente que "a liquidação do alcoolismo vem se juntar ao inventário das conquistas da revolução"[5]. No período da Nova Política Econômica (NEP), Lênin discordou da inclusão da fabricação e venda de vodca nas medidas de ampliação do pequeno comércio privado. Em março de 1922, o novo código criminal proibiu a destilação privada. Cerca de 1 milhão de casos de infração teriam sido reprimidos. Mas o vinho já havia se tornado legal em 1921, as cervejas, em 1922, as bebidas de até 20% de teor alcóolico, em 1923, e, finalmente, em 1º de outubro de 1923, a vodca de quarenta graus

[4] Vladímir Ilitch Lênin, *O desenvolvimento do capitalismo na Rússia* (trad. Paula de Vaz Almeida, São Paulo, Boitempo, 2023).

[5] Leon Trótski, "A vodka, a igreja e o cinematógrafo", trad. Francisco Foot Hardman, em Francisco Foot Hardman, *Nem pátria, nem patrão!: memória operária, cultura e literatura no Brasil* (3. ed., São Paulo, Editora Unesp, 2002), p. 227

voltou a ser fabricada e vendida sob o monopólio estatal. Em 1927, esse mercado já auferia 20% da renda do Estado soviético. Em *Novo curso*, publicado em 1923, Trótski afirmava que

> a tentativa do Birô Político de basear o orçamento na venda de vodca, o que significaria que a arrecadação do Estado operário seria independente dos êxitos do desenvolvimento econômico, constitui um sintoma muito grave [...]. A tentativa de apresentar a oposição à legalização da vodca quase como um crime contra o partido, da mesma forma que a exclusão da redação do diário central do camarada que reclamava liberdade para debater este plano funesto, continua sendo um dos momentos mais indignos da história do partido.[6]

Em 1927, a falta de alimentos se tornou grave, com os preços industriais subindo e os agrícolas caindo, levando à retenção do grão pelos camponeses, especialmente para a destilação em vodca, que lhes garantia um produto imune ao desgaste físico e monetário. A guerra contra o campesinato foi travada sob a justificativa do combate ao desvio do grão para a produção de álcool. A coletivização foi uma guerra contra o *kulak*, que se tornara praticamente o símbolo do traficante de álcool.

No ano 1928, dois veteranos bolcheviques, Nikolai Bukhárin e Iúri Larin, fundaram a Sociedade para a Luta Contra o Alcoolismo, que teve uma revista mensal chamada *Sobriedade e Cultura*. A iniciativa acabou em 1930, pois Stálin passou a defender diretamente o aumento na renda de vodca para o Estado como uma questão estratégica. Numa carta de 1º de setembro de 1938, para Molotov, Stálin deixou claro que era preciso aumentar a produção de vodca o máximo possível para ter recursos para a defesa.

Mikhail Gorbatchov, após sua ascensão ao poder em 1985, fez uma severa campanha contra a vodca que foi quase uma segunda onda proibicionista, após a proibição tsarista e bolchevique na década entre 1914 e 1925. Gorbatchov não chegou a proibir, mas limitou de tal forma o abastecimento que causou uma explosão da produção clandestina. A imposição burocrática da erradicação de vinhedos na Geórgia, na Crimeia e no Cazaquistão causou uma insatisfação que se somou à raiva de milhões de consumidores que passaram a ter grandes dificuldades para beber. O próprio Gorbatchov reconheceu, mais tarde, que "é impossível solucionar essa questão apenas por meio

---

6 Leon Trótski, *O novo curso* (trad. Euclides de Agrela, São Paulo, Contrabando, 2023), s/p.

de medidas administrativas"[7]. Talvez nunca se tenha conhecido um chefe de Estado tão bêbado em solenidades oficiais quanto Iéltsin, logo após o final da União Soviética. Mas, ainda mais grave, suas políticas foram tão destrutivas que M. L. Schrad emprega o termo "desmodernização" para se referir à última década do século XX. Nunca se bebeu tanto como no período do desmonte da União Soviética e da plena restauração capitalista.

Em janeiro de 1992, o monopólio da vodca foi abolido. Em 1993, foi concedida isenção de impostos de importação à Igreja ortodoxa e ela se tornou a maior importadora de cigarros e vodca na Rússia. Se durante o período soviético a relação entre o Estado e o álcool oscilou entre o rigor do comunismo abstêmio e os interesses tributários, na Rússia contemporânea vem triunfando a lucratividade do capitalismo etílico.

[7] Mikhail Gorbatchov, *Perestroika: novas ideias para o meu país e o mundo* (trad. J. Alexandre, São Paulo, Best Seller, 1987), p. 115.

Benjamin, as drogas e as "forças da intoxicação"

GUSTAVO RACY

Como afirma Marcus Boon, autor do prefácio à edição anglo-estadunidense dos textos de Walter Benjamin sobre o haxixe, se "já houve alguém que consumiu drogas por ler sobre elas, esse alguém foi Walter Benjamin"[1]. O interesse de Benjamin pelas drogas foi registrado pela primeira vez em 1919, em comentário a *Les Paradis artificiels* de Baudelaire.

Apenas em 1927, porém, o filósofo participou de um experimento envolvendo drogas. Suas experiências, em especial com o haxixe, durariam cerca de sete anos. Inicialmente, as sessões eram ministradas por dois amigos médicos, Ernst Joël e Fritz Fankel. Mais tarde, Benjamin consumiria haxixe por conta própria[2]. Além deste, Benjamin também fumaria ópio e se deixaria injetar com mescal e eucodal, um opiáceo. Ele veria no haxixe "uma expansão e concentração simultânea dos poderes da percepção"[3].

As experiências de Benjamin com as drogas foram amplamente registradas em "protocolos", que eram por vezes escritos ainda sob efeito da intoxicação, por vezes posteriormente. Dois deles foram publicados no começo dos anos 1930: "Haxixe em Marselha" e

[1] Marcus Boon, "Walter Benjamin and Drug Literature", em Walter Benjamin, *On Hashish* (Cambridge, MA/Londres, The Belknap, 2006), p. 1.

[2] Walter Benjamin, *On Hashish*, cit.

[3] Howard Eiland e Michael W. Jennings, *Walter Benjamin: A Critical Life* (Cambridge, MA/Londres, The Belknap, 2014), p. 296.

"Myslovice-Braunschweig-Marselha". Outros seriam expandidos em *Passagens*, principalmente os relacionados à *flânerie*, ao interior caseiro e à arquitetura da metrópole. Os protocolos benjaminianos atestam a vida e a personalidade do autor à luz de seu momento histórico marcado pelo entreguerras, a Revolução Espartaquista, a Crise de 1929 e a crise da República de Weimar.

Ainda que na esteira dos poetas do século XIX, a experiência benjaminiana com drogas se distancia do devaneio irracionalista, como nos simbolistas. Seus protocolos se imbuem de uma mirada surrealista, em busca da transformação da razão. Para o filósofo, a droga tem a capacidade de desfazer a percepção, remontando-a e expandindo-a, o que permitiria que o intoxicado se tornasse um fisiognomista da vida ao redor. A narcose causaria um afrouxamento de si que desencadearia uma relação de semelhança com as coisas ao redor, de modo a operar um despertar dialético em que o sujeito, intoxicado, é levado a grande sobriedade.

Pensar as "coisas do mundo", a vida no mundo e a vida do mundo é fundamental para as reflexões de Benjamin sobre a filosofia da história e o capitalismo. Para ele, era central refletir sobre a noção de percepção e semelhança ao se tratar das drogas, posto que pela expansão da primeira tem-se tanto "a revelação do ser histórico de um objeto (sua aura) quanto [...] a apreensão de uma 'semelhança' indicando a presença de forças transcendentais secretas na história"[4]. A intoxicação promoveria uma "iluminação profana" dos poderes da percepção, cristalizando experiências.

Benjamin vê a transformação da experiência em mercadoria como um dos perigos do mundo moderno, porque condena cada momento a ser "indefinidamente repetível e replicável, como uma mercadoria produzida em massa"[5]. Se o mundo capitalista, com seu fetichismo e reificação, condiciona-nos constantemente à adicção, a exploração da narcose pode promover uma operação crítica da sociedade, "ao induzir o sujeito a atentar [...] ao impensado do mundo ao redor"[6]. A intoxicação, ao expandir a percepção, faz com que nos *detenhamos*

[4] Marcus Boon, "Walter Benjamin and Drug Literature", cit., p. 11.

[5] Gary Shapiro, "Ariadne's Thread: Walter Benjamin's Hashish Passages", em Anna Alexander e Mark S. Roberts (orgs.), *High Culture: Reflections on Addiction and Modernity* (Albany, State University of New York Press, 2003), p. 61.

[6] Idem.

sobre as coisas, ao invés de *passarmos* por elas[7]. Ela nos põe num estado onírico, remetendo-nos a um sono desperto em que tudo pode ser direcionado à análise.

A articulação feita por Benjamin expressa uma posição do sujeito moderno numa lógica labiríntica em que é preciso explorar os meandros da vida *do* e *no* mundo muito aos moldes da análise psicanalítica do sonho, promovendo um despertar do estado onírico em que a realidade reificada do mundo nos instaura. O haxixe induz um sono desperto "em um *setting* que pode ser revisitado desperto e sóbrio, prestando-se, assim, à análise"[8]. É a Paris imperial que dá o tom do estudo de Benjamin sobre a relação entre as percepções potencializadas pela narcose e o labirinto barroco parisiense "que demanda as habilidades de Ariadne"[9], e é nela que despontam as barricadas da comuna, que desafiam as forças capitalistas que tentam demolir cada beco, viela e rua sem saída.

Na metrópole moderna, tudo conspira para a narcose: o jogo, o vinho, o sexo, as passagens, a arquitetura e o consumo. Como num labirinto, porém, não se trata do que jaz no centro, mas das possíveis entradas e caminhos. Sob o domínio da modernidade capitalista, a intoxicação se constrói como uma relação nova com o espaço e o tempo que estimula a vida em direção à produção.

A chave para compreender a leitura da experiência das drogas em Benjamin – que toca os conceitos de percepção, semelhança e conhecimento – está no fato de que ela consegue fazer explodir o *continuum* de uma percepção mascarada pela falsa consciência. A intoxicação é capaz de gerar um distanciamento, um efeito de estranheza que resgata a aura, que, percebida sob a narcose, aparece, por um lado, como "autêntica", isto é, como concernente a todas as coisas, e, por outro, como um "movimento e uma metamorfose quase cinematográficos de suas qualidades, quando o ícone e a relíquia [...] não extraem seu poder aurático senão de sua imobilidade e perenidade absolutas"[10]. Assim, o que aparece na experiência benjaminiana da droga é uma nova concepção estética "articulada sobre o fenômeno da *intoxicação*

---

[7] Ver Walter Benjamin, "Percepção é leitura", em Gustavo Racy (org.), *Walter Benjamin está morto* (São Paulo, Sobinfluencia, 2020), p. 19-20.

[8] Gary Shapiro, "Ariadne's Thread, cit., p. 63.

[9] Idem.

[10] Georges Didi-Huberman, "L'ivresse des formes et l'illumination profane", *Image Re-vues*, n. 2, 2010.

das formas, intoxicação ela mesma *experimentada nas coisas* mais concretas, mais banais, do mundo circundante"[11].

A experiência da intoxicação pauta uma nova relação com as formas do mundo, uma nova forma de "ler o livro do mundo" que profana[12], que restitui ao domínio humano aquilo que foi reificado pela experiência cotidiana do capitalismo. Essa "iluminação profana" permite que refuncionalizemos a experiência, articulando-a, remontando-a em direção a uma forma nova, fazendo com que se interrompa o "*continuum* da vida, anulação do evento no momento mesmo em que se produz"[13]. A percepção reformulada operada pela intoxicação suspende o mundo em imagens novas que geram uma cesura que reconfigura o sujeito por meio da articulação entre o experimentado e o conhecimento, potencialmente levando a "condições objetivas e coletivas de uma capacidade de desalienação, anunciada como o poder de 'providenciar à revolução as forças da intoxicação'"[14].

---

[11] Idem.

[12] Giorgio Agamben, "Elogio da profanação", em *Profanações* (trad. Selvino J. Assmann, São Paulo, Boitempo, 2007), p. 65.

[13] Georges Didi-Huberman, "L'ivresse des formes et l'illumination profane", cit.

[14] Idem.

Das *workhouses* às comunidades terapêuticas

a crítica de (e a partir de) Marx aos manicômios

PEDRO COSTA

Karl Marx não só era crítico da abordagem da loucura de sua época, como realizou uma ferrenha crítica às *guerras pelas drogas* – as Guerras do Ópio –, apontando o caráter colonialista e imperialista da Grã-Bretanha e condenando as políticas proibicionistas chinesas. Ainda que seria anacrônico considerá-lo um autor *antimanicomial* ou *antiproibicionista*, é inegável que suas críticas vão ao encontro do que vieram a ser esses movimentos políticos e teóricos[1].

Este texto procurará repassar as análises de Marx sobre os manicômios de modo a extrair dela nexos para fazer a crítica das formas manicomiais presentes em nosso país hoje, particularmente as ditas comunidades terapêuticas (CTs). *Grosso modo*, trata-se de um exercício *desde* e *a partir de* Marx, nas particularidades de uma *crítica da economia política dos manicômios*, no campo da saúde mental, do álcool e de outras drogas.

Das *workhouses* e dos asilos às CTs: manicomialização (e mais)

Marx criticou fortemente a forma como o capitalismo produz, ao mesmo tempo e em larga escala, riqueza mas também loucura, sofrimento psíquico, pobreza, desemprego, fome etc. Aliado a isso,

[1] Para uma análise mais aprofundada dessas questões, ver Pedro Costa, "Marx sobre a loucura", *Dialectus*, v. 26, n. 26, jul.-ago. 2022; Pedro Costa e Kíssila Mendes, "Marx e as guerras pelas drogas: anticolonialismo, antiimperialismo e antiproibicionismo", *Germinal: Marxismo e Educação em Debate*, v. 14, n. 2, ago. 2022.

ele criticou como a gerência da loucura – na verdade, dos loucos, sobretudo os pobres – se dava por meios degradantes, segregatórios e (super)exploratórios. Não havia ali tratamento, mas controle. Tais instituições não tratavam ninguém e pioravam a situação; eram agentes adoecedores: "um resultado natural que a detenção em *workhouses* não apenas piore os casos não tão agudos de loucura [*harmless imbecility*] para os quais foi originalmente planejada, mas tenda a cronificar e tornar permanentes os casos que deveriam ter sido tratados por cuidados precoces"[2].

Ademais, os manicômios serviam também para a acumulação frente à mercantilização da loucura e dos loucos e à superexploração de suas forças de trabalho por meio do trabalho degradante, quando não escravo. Como Marx apreendeu, "o princípio decisivo [...] era a economia": "Todo o planejamento dos contratantes consiste, é claro, no único ponto de fazer grandes lucros com essas pequenas receitas e, consequentemente, de manter o paciente com o menor gasto possível"[3].

Se a *workhouse* era a "penitenciária da miséria"[4], os asilos e os manicômios eram as penitenciárias da miséria e da loucura, de tal forma que as próprias *workhouses* de tornavam asilos ou acabavam cumprindo a sua função: "onde não existe asilo público na vizinhança, ou onde o asilo existente já está superlotado, nenhuma alternativa foi deixada aos comissários a não ser impedir que a licença continuasse, ou jogar grandes massas de pobres loucos [*insane poor*] em suas várias *workhouses*"[5].

Ao se deparar com o relatório de uma *workhouse*, Marx denunciou o que eram os manicômios e sua função social:

> Seria muito repugnante fornecer trechos do relatório dos comissários sobre a *St. Pancras Workhouse* em Londres, uma espécie de pandemônio rebaixado. De modo geral, existem poucos estábulos ingleses que, ao lado das enfermarias dos loucos [*lunatic wards*] nos asilos, não pareceriam *boudoirs*, e onde o tratamento recebido pelos quadrúpedes não pode ser chamado de afetuoso quando comparado ao dos pobres loucos.[6]

---

[2] Karl Marx, "O crescimento da loucura na Grã-Bretanha", em Pedro Costa (org.), *O marxismo e a loucura* (trad. Pedro Costa, São Paulo, LavraPalavra, 2023), p. 246.

[3] Ibidem, p. 245-6.

[4] Karl Marx, *O capital: crítica da economia política*, Livro I: *O processo de produção do capital* (trad. Rubens Enderle, São Paulo, Boitempo, 2013), p. 887.

[5] Idem, "O crescimento da loucura na Grã-Bretanha", cit., p. 245.

[6] Idem.

Soma-se a isso a denúncia que fez do sequestro e da prisão de Rosina Bulwer-Lytton, após ela ter denunciado seu ex-marido, um importante político conservador. Diagnosticada como *louca*, foi internada em um asilo. Sobre o tratamento, Marx foi certeiro: "A circunstância mais importante é: enquanto Sir Edward [o marido] falou, Lady Bulwer manteve silêncio."[7] Na verdade, ela foi silenciada: pelo ex-marido, pelo filho que executou todo o processo, pela medicina e pelo médico. O manicômio expressou e conformou as estruturas exploratórias e opressoras de classe e do patriarcado de nossa sociedade.

Na atual quadra histórica brasileira, marcada pela ofensiva do capital contra a classe trabalhadora via *contrarreformas*, vemos no campo da saúde mental, do álcool e das outras drogas, um processo de *remanicomialização* e mercantilização das políticas, aliado ao desfinanciamento e desmonte do Sistema Único de Saúde (SUS) e à ascensão de práticas médico-psiquiátricas conservadoras e fundamentalistas. Esses retrocessos, caracterizados como contrarreformas psiquiátricas, buscam negar as conquistas históricas da luta antimanicomial expressas na reforma psiquiátrica brasileira.

As CTs estão no centro dessa contrarreforma. Por meio delas, tem-se rearticulado um lucrativo mercado ou indústria da loucura, agora nas particularidades de "álcool e outras drogas". Elas têm sido cada vez mais abastecidas pelo fundo público, tendo também seus "próprios meios" de arrecadação, como o pagamento direto dos "drogados" internados e/ou de suas famílias, as doações, o financiamento indireto pelo Estado via imunidade tributária e a *laborterapia*, trabalho não pago, servil e análogo à escravidão – contra pessoas mormente negras e pobres.

Aliado ao crescente financiamento público das CTs, vemos cortes das políticas e dos serviços públicos não manicomiais que compõem o SUS, especificamente a Rede de Atenção Psicossocial (Raps). Ou seja, o financiamento público das CTs tem sido um dos principais obstáculos à reforma psiquiátrica no país. Quanto mais se financia as CTs, mais se desfinancia e deslegitima as alternativas públicas e não manicomiais, a reforma psiquiátrica e, por extensão, o SUS. Ademais, as CTs não são "apenas" instituições privadas e manicomiais, mas também majoritariamente religiosas e, portanto, cometem violência religiosa.

---

[7] Idem, "A prisão de Lady Bulwer-Lytton", em Pedro Costa, *O marxismo e a loucura*, cit., p. 238.

Podemos constatar uma continuidade das *workhouses* nas CTs em termos da função social que cumprem na sociabilidade capitalista: a gerência da questão social (e sendo a dependência das drogas uma de suas expressões ou desdobramentos) por asilamento e manicomialização, (super)exploração e escravização. Nas particularidades de uma formação social capitalista colonial e escravocrata como a brasileira, as particularidades das instituições manicomiais como as CTs manifestam e conformam nossas estruturas de classe, patriarcais e, também, racistas.

Desde Marx e com Marx: antimanicomial e antiproibicionista

Como Marx nos legou, o concreto é concreto por ser a síntese de múltiplas determinações, a unidade na diversidade. A análise concreta da situação concreta das CTs na atual conjuntura brasileira requer reconhecê-la como síntese de *manicômios*, *prisões*, *igrejas* e *senzalas,* expressando nossa modernização conservadora, nosso arcaico-moderno, capitalista, racista e patriarcal.

Por fim, este breve exercício *desde* e *com* Marx sinaliza quão fundamental é que as lutas *antiproibicionista* e *antimanicomial* se unam. Há também a imperiosidade de que sejam antirracistas, anticapitalistas e contra quaisquer formas de exploração e opressão. Assim, essas lutas podem se fortalecer e ser, ainda, mediações táticas importantes em um projeto socialista.

Os camaradas já não são tão caretas?

JÚLIO DELMANTO

Há mais de dez anos, no começo do fumegante 2013, apresentei dissertação de mestrado em história social analisando as relações entre militantes e organizações de esquerda no Brasil e os debates sobre consumo e políticas de drogas[1]. Como indica o título do trabalho, *Camaradas caretas: drogas e esquerda no Brasil*, minha conclusão foi que, entre os anos 1960 e 2010, pessoas e instituições ligadas à tradição de pensamento e luta anticapitalista no país expressavam, em geral, posturas desinformadas e conservadoras em relação ao uso de determinadas substâncias psicoativas e à necessidade de sua legalização.

Desde então, muita coisa mudou. Vivenciamos o crescimento do chamado antiproibicionismo, simbolizado pela consolidação da Marcha da Maconha como um dos principais movimentos sociais do país, as políticas de legalização da maconha nos Estados Unidos, Uruguai, Canadá, México e, mais recentemente, Alemanha, a crescente expansão midiática, acadêmica e cultural do debate sobre os impactos da guerra às drogas e do proibicionismo, além da consolidação do uso terapêutico de *Cannabis* e psicodélicos no cenário global.

Essa transformação impactou, de forma heterogênea, o debate sobre drogas feito no Brasil e também no interior das organizações e dos indivíduos que se identificam com a esquerda. Anteriormente visto como um assunto de "desbundados", pouco sério e relevante, ou, ainda, como forma de alienação "contrarrevolucionária", o tema passou

[1] Júlio Delmanto, *Camaradas caretas: drogas e esquerda no Brasil* (São Paulo, Alameda, 2015).

a ser cada vez mais encarado a partir das suas afinidades evidentes com outras pautas que também ganharam importância e visibilidade, tais como o racismo, o encarceramento em massa, o genocídio da juventude negra e a letalidade policial.

O período também foi marcado pela ampliação de fissuras temporais e geográficas no proibicionismo, um modo de gestão social de produção, venda e consumo de drogas que jamais foi absoluto e que tem sido corroído sobretudo pela manutenção e até o recrudescimento de suas definições legais.

Apesar das mudanças, muita coisa ainda permanece igual ou piorou. Simbolizando a política institucional pós-Bolsonaro (mas não pós-bolsonarismo), o julgamento da ululante inconstitucionalidade da criminalização do porte de drogas para consumo pessoal no Supremo Tribunal Federal se alongou por onze anos e, ao final, "a montanha pariu um rato", com uma decisão confusa e covarde que (inconstitucionalmente) se restringiu à maconha, manteve a palavra final sobre quem é ou não traficante com a polícia e ainda se sujeitou a alterações pelo Congresso Nacional.

Nem ao menos um pequeno avanço como a descriminalização da maconha pela via judicial consegue se efetivar plenamente, já que sua aplicação segue sujeita à hipocrisia e à conveniência seletiva em termos de raça e classe. Mesmo com base em argumentos teóricos frágeis e indefensáveis, o proibicionismo se mantém sólido em suas facetas jurídicas, políticas e práticas.

Apesar da discussão sobre formas não repressivas de gestão social para consumo, venda e distribuição de drogas ressoar no Brasil desde os anos 1960, sobretudo por conta do advento da chamada "contracultura", o antiproibicionismo em seus moldes atuais como movimento social tem suas raízes no início da década de 1980, quando novas organizações e formas de atuação de esquerda apareceram e os militares negociavam o fim de sua ditadura. Antes restrito a pequenos coletivos, formados majoritariamente por estudantes brancos de classe média, o antiproibicionismo foi ampliado e consolidado apenas em meados dos anos 2010, com o crescimento constante da Marcha da Maconha. Atualmente, o movimento está presente em dezenas de cidades, algumas delas reunindo dezenas de milhares de pessoas, tem relevância na mídia e nas redes sociais e muito mais diversidade quanto a seus integrantes, pautas e formas de atuação.

O aumento da relevância da Marcha da Maconha influenciou e foi influenciado por novos enfoques dos debates acadêmicos, culturais e midiáticos sobre o tema e caminhou junto de mudanças significativas no cenário geopolítico, sendo as mais importantes nos Estados Unidos, que no passado iniciou e liderou as pressões internacionais pelo recrudescimento da "guerra às drogas" e hoje caminha para a legalização da maconha em nível federal[2].

As mudanças internacionais no campo do proibicionismo, aliadas ao indisfarçável fracasso das promessas de "um mundo sem drogas", certamente afetaram a esquerda brasileira, incluindo sua ala voltada à atuação institucional que não mais pode ignorar o impacto eleitoral de posicionamentos sobre a chamada "pauta dos costumes"[3].

Até o início dos anos 2010, entre os integrantes da esquerda predominava um "silêncio sorridente" em relação às drogas, quando não uma posição moralista que via a alteração de consciência por meio de psicoativos e a defesa da legalização dessas substâncias como "fuga da realidade", "alienação", "hedonismo", falta de disciplina etc. A mudança observada recentemente nesse cenário pode ser explicada, em boa medida, pelo crescimento do mesmo movimento social antiproibicionista que boa parte da esquerda partidária ridicularizava – e hoje corteja em busca de votos.

Essa transformação impactou inclusive um partido de centro-esquerda como o Partido dos Trabalhadores (PT), mas não se refletiu em atitudes quando ele esteve no governo federal. O mesmo PT que derrotou Bolsonaro ao lado de uma antiga liderança de direita, Geraldo Alckmin, contribuiu decisivamente para o descontrole policial e a militarização e milicianização do país, recrudescida após os chamados megaeventos como a Copa do Mundo e as Olimpíadas e iniciativas como as Unidades de Polícia Pacificadora (UPPs). Aliados de primeira ordem do dito Centrão e do Movimento Democrático Brasileiro (MDB) do Rio de Janeiro, Lula e Dilma ainda contribuíram, por meio de ações e omissões, para a disparada dos níveis de encarceramento e letalidade policial e favoreceram os militares com recursos públicos

[2] Em 2023, 23 estados já haviam legalizado a venda de maconha no país, como demonstra João Ozorio de Melo, "Legalização da maconha está avançando progressivamente nos EUA", *Consultor Jurídico*, 3 ago. 2023, disponível on-line.

[3] No momento em que escrevo este artigo, analistas consideram o tema do aborto fundamental para definir a pequena margem de diferença entre os candidatos à presidência dos Estados Unidos, Kamala Harris e Donald Trump. Por incrível que pareça, também a legalização da maconha surgiu como um trunfo do Partido Democrata durante a campanha, como exemplifica a seguinte reportagem: Fernanda Perrin, "Joe Biden recorre à maconha para ganhar jovens de volta", *Folha de S.Paulo*, 1º abr. 2024.

e financiamento de comunidades terapêuticas violadoras dos direitos humanos, entre outras iniciativas que ferem a tradição antimanicomial do partido.

Superado, portanto, o período de "caretice" de nossa esquerda "não governamental", que hoje compreende melhor os efeitos desastrosos do proibicionismo para a maior parte da população, é tempo de refletir sobre nossa capacidade de sermos camaradas e articularmos melhor as lutas antissistêmicas e antiproibicionistas a fim de evitar que, assim como foi quanto à abolição da escravidão, sejamos novamente o último país das Américas a fazer o óbvio.

Brasil e as drogas: a vanguarda do atraso?

THIAGO RODRIGUES e DANIELA FERRUGEM

Pode parecer óbvio, mas é importante lembrar: a "guerra contra as drogas" é travada contra pessoas e não contra "as drogas", afinal, estas são substâncias inanimadas. As pessoas em questão, por sua vez, são precisamente as mais pobres, de pele mais escura, migrantes, imigrantes, periféricas, faveladas e com baixo nível de educação formal mundo afora.

Apesar de ser encabeçada e impulsionada pelos Estados Unidos a partir dos anos 1970, a *war on drugs* não é uma novidade. Séculos de preconceitos de raça, de classe, de gênero, de origem e contra a experimentação de estados alterados de consciência estavam incrustados na superestrutura de sociedades em todo o globo quando as primeiras leis e tratados antidrogas começaram a ser produzidos na década de 1910. Também no Brasil.

Do mesmo modo que não foi preciso que nenhuma potência estrangeira impusesse à sociedade brasileira o racismo, a exploração do capital, a violência de gênero e as formas genocidas contra povos originários, a proibição às drogas e os seus dispositivos repressivos têm raízes locais antigas. Em alguns casos, o proibicionismo praticado por brasileiros antecipou-se a tendências mundiais, como com a maconha.

Foi do Brasil a primeira lei municipal a criminalizar a maconha (no Rio de Janeiro de 1830); foram médicos e diplomatas brasileiros que defenderam, nos anos 1920, que a maconha deveria ser proibida em todo o mundo por ser o "ópio dos pobres"; e a *Cannabis* foi proibida antes aqui (1932) do que nos Estados Unidos (1936). Hoje os tempos são outros, práticas sociais e costumes foram modificados, mas o regime de proibição das drogas – o proibicionismo – segue demonstrando ter grande capacidade de se adaptar às demandas de lucratividade do capital. No Brasil, portanto, existe um *proibicionismo à moda da casa*.

Para funcionar, o proibicionismo precisa de alguns elementos: 1) a existência de valores morais que repudiem estados alterados de consciência e prazeres sensoriais, 2) a presença estrutural de práticas racistas, xenofóbicas e de ódio a divergentes sexuais ou comportamentais, 3) a necessidade de conter pela violência uma massa cada vez maior de excluídos e marginalizados, 4) um aparato jurídico-político controlado por e a serviço de uma elite a fim de *administrar* essa massa em crescimento, 5) o investimento da indústria farmacêutica e da classe médica para o uso de algumas substâncias enquanto outras, associadas a terapêuticas de grupos sociais marginalizados e racializados, são perseguidas, 6) o funcionamento de um poderoso mercado legal para drogas cujo consumo é estimulado, tanto para o uso recreativo (álcool, tabaco), quanto para o médico (benzodiazepínicos, opioides, anfetaminas e, crescentemente, o canabidiol – CBD – extraído da *Cannabis*).

O Brasil *testa positivo* para todos os itens acima e, apesar das movimentações progressistas no edifício global do proibicionismo, o país continua apegado ao proibicionismo, com algumas poucas brechas que se abrem enquanto muitas portas se fecham, ou ameaçam bater, no ambiente fascistoide-neopentecostal em que está afundado.

Alvos negros

A "guerra às drogas" nunca foi apenas um controle sobre substâncias psicoativas, mas um modo de organização da sociedade que extrapola a regulação das substâncias e incide sobre a vida das pessoas entendidas pelo capitalismo racializado como indesejáveis, apesar de paradoxalmente necessárias para a expansão do capital. Trata-se de uma política que tem na sinergia entre ódio de classes e *racismo* o dispositivo ideal para atualizar o colonialismo, ajudando a conformar as disputas no interior da luta de classes.

É a classe trabalhadora, e sobretudo a juventude negra, a mais vitimada pelas disputas por territórios, pelas incursões militarizadas das polícias contra traficantes e pelos conflitos dos grupos ilegais entre si. Décadas de confrontos armados em nome dessa "guerra" criaram as condições para que a circulação de inúmeras outras mercadorias, bens e serviços ilegais se tornassem altamente lucrativas nas cidades do Brasil.

É nas periferias que as violências do proibicionismo se mostram mais deletérias, já que todo o tecido social é controlado a partir do poder do tráfico e das tentativas do Estado de contra-arrestá-lo. É nas favelas e periferias que as escolas são fechadas quando há confrontos, que o comércio é extorquido, que a vida cotidiana da população é marcada pela brutalidade policial, pela coação de facções e de milícias e pela ameaça constante de uma "bala perdida" fatal.

Nas áreas urbanas precarizadas, que concentram a população mais vulnerável e marginalizada, a "guerra às drogas" funciona como dispositivo de controle social que é operado simultaneamente pelas práticas disciplinares e repressivas de milícias, por facções do tráfico e por forças de segurança do Estado. Essa imensa população é, portanto, sobregovernada e superexplorada num ambiente estruturado pelas "disputas do tráfico, das milícias e de uma polícia que se faz presente não para a garantia da segurança e da vida, mas para a repressão, quando não o extermínio"[1].

Passos à frente, passos atrás

Em junho de 2024, o Supremo Tribunal Federal (STF) concluiu um longo julgamento no qual ficou decidido que pessoas flagradas com até quarenta gramas de maconha ou seis pés de *Cannabis* deveriam ser consideradas "usuárias" e não "traficantes". A decisão veio como uma tentativa de superar o vácuo deixado pela Lei n. 11.343/2006, que diferenciou traficantes de usuários, mas não estabeleceu uma métrica quanto às quantidades de drogas ilegais máximas para definir quem era o quê. A lei deixou a decisão a cargo da autoridade policial (delegado/PM), o que terminou por oficializar a *seletividade penal*[2], fenômeno pelo qual apenas um determinado perfil de pessoas é efetivamente impactado pelo aparato repressivo estatal.

No caso brasileiro, esse perfil é o de pessoas negras, pobres, de baixa escolaridade, moradoras de favelas e periferias. O resultado da Lei de Drogas foi um crescimento exponencial da população carcerária brasileira. Hoje, o Brasil tem a terceira maior população prisional

---

1 Mário Theodoro, *Sociedade desigual: racismo e branquitude na formação do Brasil* (Rio de Janeiro, Zahar, 2022), p. 29.

2 Ver Valeria Vegh Weis, *Marxism and Criminology: A History of Criminal Selectivity* (Chicago, Haymarket, 2018).

do mundo, com aproximadamente 850 mil presos. Estima-se que um terço deles esteja nessa condição por crimes relacionados a drogas[3].

Ao contrário do alardeado, o STF não "descriminalizou" (deixou de considerar a conduta crime), tampouco "despenalizou" (diminuiu as penas), o uso ou porte de maconha. O art. 28 da Lei de Drogas não foi alterado, permanecendo a previsão de "penas alternativas à prisão". Portanto, a pessoa condenada por uso ou porte de *Cannabis* continuará perdendo o réu primário e ficando com a ficha suja. A polêmica foi grande, mas a decisão nada teve de radical. Além disso, ela bizarramente não se estende às outras drogas ilegais, que continuam sem métrica definida.

Para completar, a votação no STF foi constrangida pelo trâmite simultâneo da Proposta de Emenda Constitucional n. 45, que visa incluir a criminalização do uso de drogas na Constituição Federal. Tirando o período da Lei Seca nos Estados Unidos, entre 1920 e 1933, quando o álcool foi proibido por uma emenda constitucional, o Brasil inovaria ao ser o único país do mundo a incluir o proibicionismo na sua carta magna. Ainda assim, há avanços, principalmente quanto à autorização para o uso de CBD no tratamento de uma série de condições médicas graves.

Segundo o jurista marxista Piotr Stutchka, o direito é um arranjo normativo que espelha "relações sociais segundo os interesses da classe vencedora"[4]. O proibicionismo, ao mesmo tempo, é e *não é* isso. De fato, o regime de ilegalidade das drogas potencializa os instrumentos à disposição do Estado para controlar a massa de pessoas que Achille Mbembe precisamente denominou de *vidas matáveis*[5].

No entanto, o proibicionismo não é apenas uma imposição das elites. Existe uma *hegemonia proibicionista* no sentido gramsciano, ou seja, a ilegalidade das drogas não é meramente imposta pela força ou pela doutrinação ideológica, mesmo que os *aparelhos hegemônicos* de hoje – mídias sociais, serviços de *streaming* etc. – difundam constantemente o "perigo dos cracudos" ou a "ameaça das facções".

---

[3] Ver Ipea, "Critérios objetivos no processamento criminal por tráfico de drogas: natureza e quantidade de drogas apreendidas nos processos dos tribunais estaduais de justiça comum" (Rio de Janeiro, Ipea, 2023), disponível on-line.

[4] Piotr Stutchka, *O papel revolucionário do direito e do Estado: teoria geral do direito* (São Paulo, Contracorrente, 2023), p. 200. Ver também Moisés Alves Soares e Ricardo Prestes Pazello, "O pioneiro da crítica jurídica marxista: trajetória e pensamento de Piotr Stutchka", em Gustavo Gomes e Renata Schittino (orgs.), *Estado, direito e marxismo* (São Paulo, Usina, 2023), p. 191-214.

[5] Ver Achille Mbembe, *Necropolítica* (trad. Renata Santini, São Paulo, n-1, 2018).

As bases morais das posturas antidrogas são profundas e estão atadas à própria hegemonia burguesa capitalista. Uma pesquisa de 2023 indicou que 61% das pessoas são contrárias à legalização das drogas, enquanto 22% são favoráveis. Sobre o uso medicinal da maconha, o apoio foi de 56%[6]. O repúdio ao *uso recreativo* segue firme, mas algo se move na correlação de forças sobre as drogas em nossa sociedade civil.

No Brasil, para inverter a famosa frase de Lênin, quando se trata das drogas, caminha-se um passo à frente, dois passos atrás. Cada conquista de direitos e consequente enfraquecimento da lógica repressiva é combatido com uma artilharia pesada, pois a questão das drogas está capturada pela chamada "pauta dos costumes". A centro-esquerda se amedronta diante da ultradireita, enquanto poucos na política institucional bancam enfrentar o debate. Entre as forças progressistas existe o perigo de que a luta socialista, necessariamente interseccional – antirracista, antiproibicionista, antipatriarcal, antiLGBTfóbica e classista –, seja fracionada por escolhas táticas diante das dificuldades impostas pelo ultraconservadorismo. São tortuosos, enfim, os caminhos do antiproibicionismo no Brasil.

[6] Ver André Lucena, "Maioria da população defende descriminalização da maconha, aponta pesquisa", *Carta Capital*, 29 set. 2023, disponível on-line.

CRÍTICA DA ECONOMIA POLÍTICA

tradução: **Nélio Schneider**
apresentação: **Jorge Grespan**
orelha: **Hugo da Gama Cerqueira**
capa: **Antonio Kehl** sobre desenho de **Cássio Loredano**
272 páginas

PARA A CRÍTICA DA ECONOMIA POLÍTICA

KARL MARX

Publicada em 1859, é a primeira tentativa de Marx de publicar de maneira sistemática sua crítica da economia política. Trata-se da primeira e única obra que efetivamente veio à luz numa série prevista de seis livros. Oito anos depois, remodelado o projeto inicial, a concepção ganharia corpo na principal obra do autor, *O capital*, publicada em 1867. *Para a crítica* delineia os conceitos equivalentes ao que depois comporia a seção I da obra-prima do filósofo alemão.

tradução: **César Mortari Barreira**
apresentação: **César Mortari Barreira**
orelha: **Guilherme Leite Gonçalves**
quarta capa: **Leda Paulani**
capa: **Maikon Nery**
240 páginas

INTRODUÇÃO A *O CAPITAL* DE KARL MARX

MICHAEL HEINRICH

Um dos maiores estudiosos da obra de Karl Marx no mundo, Michael Heinrich traz uma rigorosa aproximação aos três livros de *O capital*. O autor compreende a crítica da economia política como o núcleo da intervenção teórica de Marx. Pela leitura de Heinrich, Marx não é idealizado, mas tratado como um crítico da socialização mediada pelo valor.

Conceição Tavares, pensadora da economia política do Brasil

LEDA MARIA PAULANI

A primeira vez que ouvi falar de Conceição Tavares foi em meados dos anos 1970, como aluna do curso de graduação em economia da Faculdade de Economia e Administração da Universidade de São Paulo (FEA-USP). Não que seu nome tenha sido mencionado ou algum trabalho seu citado em sala de aula, porque a escola, com vocação ortodoxa em tempos de governo ditatorial, não oferecia nenhum espaço para o pensamento irreverente e herético que sempre caracterizou nossa maior economista.

Mas os corredores também falavam, mesmo que baixinho, naqueles tempos sob as botas dos milicos, graças à inclinação natural dos jovens para a contestação e o protesto, apesar do risco. A imagem da escola da Unicamp como o lócus do pensamento crítico, alternativo ao *mainstream* e, acima de tudo, de oposição à política econômica dos generais ditadores era onipresente, e, entre os nomes de professores que chegavam aos nossos ouvidos, o primeiro era o dela. Desde o livro que já nasceu clássico *Da substituição de importações ao capitalismo financeiro* (primeira edição em 1972, pela Zahar) até trabalhos ainda não publicados – que, naquele mundo analógico, nos chegavam às mãos em cópias xerox –, os textos da professora estavam presentes em todas as discussões.

Mal sabia eu, àquela altura, que, vinte e poucos anos mais tarde, passaria com ela quase um dia inteiro, em seu apartamento no Rio de Janeiro, numa longa conversa sobre globalização, hegemonia estadunidense, papel dos intelectuais, caminhos da esquerda, mas principalmente sobre o Brasil. Nosso país era, sem dúvida, seu grande objeto de estudo. Quando de seu falecimento em 8 de junho, foi nota constante das inúmeras homenagens e obituários a lembrança de que Conceição era portuguesa de nascimento, mas "brasileira de coração", "brasileira por escolha" (porque se naturalizou) etc. O que essa conversa escancarou foi mais que isso – Conceição era brasileira também por colocar toda sua prodigiosa capacidade intelectual a serviço do país, começando por tentar decifrá-lo. É um pouco dessa prosa tensa e ao mesmo tempo descontraída que trago aqui a fim de mostrar por que Conceição deve ser vista sobremodo como pensadora da economia política do Brasil[1].

Naquele final dos anos 1990, eu fazia parte da comissão executiva da *praga: revista de estudos marxistas*[2], publicada por esta mesma editora Boitempo, que a cada número contava com a entrevista de algum personagem intelectual relevante da esquerda. Por decisão unânime dos colegas de comissão, fomos designadas, a professora Iná Camargo Costa e eu, para irmos até o Rio de Janeiro entrevistar Conceição[3]. Prevista para durar cerca de duas horas (das onze horas da manhã até a uma hora da tarde), a entrevista durou sete horas deliciosas, incluindo o almoço que ela generosamente nos ofereceu. Saímos de lá às pressas, em torno das seis horas da tarde, para não perdermos nosso avião de volta a São Paulo. Era impossível conter aquele turbilhão de inteligência.

A primeira coisa que nos disse a mestra é que descobrira logo de cara "que este país é uma desigualdade só". Ela descobriu isso, ainda aluna de economia (sua primeira formação era em matemática, realizada em Portugal), ao entrar para o Banco Nacional de

---

1 Chamá-la apenas de economista, mesmo heterodoxa, não faz jus à profundidade e à abrangência de seu legado intelectual.

2 A *praga: revista de estudos marxistas* foi publicada inicialmente pela editora Hucitec, mas já a partir de seu segundo número passou à editora Boitempo. Sua inspiração intelectual vinha das brasileiras *Clima* (dos anos 1940, que reuniu gente como Antonio Candido e Paulo Emílio Sales Gomes) e *Teoria e Prática* (dos anos 1960, que congregou, entre outros, Paul Singer, Ruy Fausto e Roberto Schwarz), além da vetusta, mas muito atuante, *New Left Review*. Da comissão executiva da *praga* faziam parte, entre outros, Fernando Haddad, André Singer e Ricardo Musse. Seu último número saiu no ano 2000.

3 A entrevista, convertida em depoimento sobre variados temas, ocorreu em janeiro de 1997 e foi estampada na revista com o título "Da fronda ao *front*". Todas as citações da Conceição nesta homenagem são extraídas de lá. Ver *praga: revista de estudos marxistas* n. 2, jun. 1997, São Paulo, Boitempo, p. 5-21.

Desenvolvimento Econômico (BNDE – atual Banco Nacional de Desenvolvimento Econômico e Social, BNDES) e deparar-se com as estatísticas. Acrescentou que compreendera então as dificuldades das tentativas de construção de uma "democracia nos trópicos". Conceição chegara ao Brasil em abril de 1954 e em agosto Getúlio se suicidou. Ela assistiu na sequência, um tanto estupefata, à transformação do até então ditador, que fazia jogo dúplice com os americanos e era contrário à reforma agrária, em "pai dos pobres" e "defensor da nação". Em face da inversa metamorfose kafkiana, ela nos disse: "É impossível entender apenas pela razão este país. Como alguém poderia explicar teoricamente os acontecimentos que vi? O populismo, via Weffort, a dependência pensada por FHC, a mescla Weber e Marx do Florestan, tudo isso é preciso e nada disso é suficiente para decifrar esta esfinge, este continente enlouquecido que é o Brasil".

A continuação da fala de Conceição é talvez ainda mais interessante do ponto de vista de sua obsessão de entender o Brasil:

> Em 1959, Celso Furtado publica *Formação econômica do Brasil*. Já tinha lido Caio Prado Júnior. Fui ler então *Raízes do Brasil*, do Sérgio Buarque de Holanda, e *Casa-Grande & Senzala*, do Gilberto Freyre. Aí não entendi mais nada, porque tudo era verdade: a nação, a aliança operário-camponesa, os senhoritos cordiais, o tropicalismo. Não dá para pensar este país com as categorias europeias. O Brasil não suporta teses progressistas definitivas, é sempre recorrente: quando se pensa que uma coisa acabou, ela volta.

Apesar do amplo espectro de reflexões afins (ela acrescenta mais à frente que lera também *Homens livres na ordem escravocrata*, de Maria Sylvia de Carvalho Franco), era sempre a economia política o fio condutor de seu pensamento:

> Todas as formas de acumulação capitalista inventadas neste país são desequalizadoras. Não é só o estatuto colonial, a origem escravista que produz essa cultura miserável dos senhoritos. O problema é do modelo de acumulação, é a modalidade de inserção do país no capitalismo, que sempre foi dinâmica, mas excludente. O Brasil sempre esteve inserido no contexto internacional, submetido a ele, desde que nasceu até hoje [...]. Daí sua heterogeneidade estrutural.

Foi por esse mesmo prisma que ela própria leu sua obra mais conhecida, o livro sobre o processo de substituição de importações a que já aludimos: "Meu livro é uma crítica à tentativa de descrever por meio da categoria 'substituição de importações' uma espécie particular de desenvolvimento industrial numa situação periférica. Industrialização, desenvolvimento das forças produtivas, nada disso resolve, pois nunca se transforma num processo endógeno autossustentado. Enquanto isso, vale a tese de Prebisch, que é o cerne da tese do capitalismo dependente". A célebre obra é composta por três ensaios, sendo que o primeiro deles – "Auge e declínio do processo de substituição de importações no Brasil" –, escrito em 1963, foi seu primeiro trabalho como economista da Comissão Econômica para a América Latina e o Caribe (Cepal). Segundo a própria Conceição, já nesse ensaio dizia ela que "o processo de substituição de importações não cumpriria o ideal progressista".

Trinta e cinco anos depois, ela ratificou o prognóstico: "[o caminho do desenvolvimento] que todos nós queremos, a via da autonomia e da igualdade, continua não sendo possível". Corriam os dias da primeira gestão de FHC e, para ela, o governo tucano "cumpre o destino dessa burguesia [sobretudo paulista], levando às últimas consequências sua análise [dele]: tornou-se o presidente de um projeto, de uma burguesia e de um país 'dependentes', abdicando da soberania e da justiça social". Conceição, como sempre, não dourou a pílula. Falando mais uma vez da "burguesia de quinta categoria" que fizera a revolução de 1932 – para a mestra, uma tentativa de contrarrevolução –, arrematou: "Os senhoritos de lá governam de costas para o país, com o olho na metrópole, antes em Paris, agora em Boston, no MIT, e em Washington".

É preciso sublinhar a notável atualidade de tais diagnósticos. A despeito dos tímidos ensaios efetuados desde então no intuito de alterar, ainda que marginalmente, o padrão de nosso desenvolvimento capitalista, não é possível dizer, em sã consciência, que o Brasil hoje, um quarto de século depois da entrevista, tenha trilhado o caminho "que todos nós queremos". Basta observar, um golpe e uma década depois de tais tentativas acanhadas, a chantagem que faz o sistema financeiro, com seu poder objetivo de afetar expectativas e "melar o jogo", com a terceira gestão de Lula, a qual busca tão somente, para repetir o bordão do presidente, "colocar os pobres no orçamento e os ricos no Imposto de Renda"[4].

Conceição Tavares tinha uma percepção precisa, a cada momento, dos parâmetros que comandavam o processo de acumulação em nível mundial, o que tornava muito qualificadas as análises que produzia

[4] Veja-se a respeito o artigo "Labirinto econômico", de minha autoria, publicado no site *A Terra É Redonda* em 22 de junho de 2024 e reproduzido em vários outros veículos de comunicação.

sobre as possibilidades de um país como o Brasil. Por exemplo, percebeu muito cedo a jogada dos Estados Unidos, ao final dos anos 1970, elevando enormemente sua taxa de juros para não perderem o privilégio exorbitante de emitir o dinheiro mundial. Em 1985, em mais um trabalho clássico, *A retomada da hegemonia americana*, aponta, contra inúmeras vozes a prever o meio internacional de pagamento caminhando na direção da Ásia, que "os americanos haviam ganho a parada", como nos disse na longa conversa.

É a mesma percepção acurada que a fez perceber, muito antes de entrar para o léxico das discussões sobre o estado da arte no capitalismo a famigerada *financeirização*, que aqui "o capital financeiro nunca se junta com o capital industrial de forma orgânica, o que nos condena a ter sempre um capitalismo patrimonialista, especulativo, de quinta categoria". Segundo Conceição, ela explica isso em seu ensaio sobre o "capitalismo financeiro" escrito no início dos anos 1970, também presente no livro famoso de cujo título faz parte.

Na década e meia passada até a redação do trabalho acerca da retomada da hegemonia americana, a desconexão entre acumulação real e acumulação financeira que caracterizava nosso país passou a ser a regra mundial, em muito facilitada pela mudança na noção de dinheiro que o estratagema americano acabara por forjar. Para a Conceição do final dos anos 1990, um dinheiro mundial "lastreado na dívida do país hegemônico" constituía a grande novidade do capitalismo, junto com a "universalização da mercadoria e do capital", abarcando também a Ásia e tornando o capitalismo pela primeira vez de fato global.

Não necessita muita argúcia notar, neste novo cenário, as crescentes dificuldades de um país que não logrou romper com a dependência. E quem pode agora, mais de um quarto de século depois, dizer sem titubear que ela se equivocou? Carlos Lessa, no prefácio ao conhecido livro, afirma que o desenvolvimento econômico brasileiro era a vocação intelectual de Conceição Tavares[5]. Manejando com maestria as artes da economia política, ela foi capaz, como poucos, de prever os enormes obstáculos que tínhamos pela frente e, por isso, se foi, infelizmente, sem chegar a ver seu país trilhar o caminho do desenvolvimento "que todos nós queremos, a via da autonomia e da igualdade".

[5] Sergio Lessa, "Prefácio", em Maria da Conceição Tavares, *Da substituição de importações ao capitalismo financeiro: ensaios sobre economia brasileira* (Rio de Janeiro, Zahar, 1972), p. 14.

"Naquela mesa": tributo a Paulo Barsotti

ANDERSON DEO

A morte precoce de Paulo Douglas Barsotti nos encheu de tristeza. Professor militante, amigo e camarada, de grande e rara generosidade, Paulo "Bocca" já faz muita falta, desde que soubemos dessa amarga notícia, em 12 de junho de 2024.

Fui seu aluno entre os anos 1992 e 1995, quando cursei a graduação em ciências sociais, e entre 1996 e 1997, já como seu orientando no curso de pós-graduação *lato sensu* em sociologia e história do trabalho, na antiga Fundação Santo André, quando "chegava sempre e nos dizia sempre o que é viver melhor". Com ele aprendi muito em sala de aula, mas também "nas salas da vida". Guardo ainda na memória algumas passagens de suas aulas de metodologia das ciências sociais, cujo itinerário programático partia da construção filosófica do método na modernidade, passando pelas principais formulações clássicas que deram origem aos pressupostos científicos da atualidade. Lembro-me com certa clareza de uma de suas aulas sobre René Descartes, quando Barsotti nos demonstrava que a afirmação cartesiana de que "todo homem é racional" possuía um conteúdo revolucionário à época, uma vez que reconhecia uma característica comum, de igualdade, em todos os seres humanos, independentemente de sua origem ou posição social – isso em meados do século XVII. Confesso que utilizo o mesmo exemplo com certa frequência, "pois hoje na memória eu guardo e sei de cor", quando trato de temas correlatos em minhas aulas e exposições, dentro e fora do ambiente acadêmico.

Sob sua orientação, desenvolvi em parceria com o também amigo e camarada Antonio Macário de Moura, entre os anos 1996 e 1997, trabalho monográfico sobre a greve dos petroleiros de 1995. Estávamos, então, no início do primeiro mandato de Fernando Henrique Cardoso e o movimento grevista dos petroleiros questionava o núcleo neoliberal do governo recém-inaugurado. Barsotti nos chamava a atenção para as similitudes com outro movimento sindical que, guardadas as devidas particularidades históricas, trazia no seu cerne o embate contra o processo de contrarreforma e da ofensiva do capital contra o trabalho. Tratava-se da greve dos mineiros ingleses durante o governo de Margareth Thatcher, entre os anos 1984 e 1985. Assim, em nossas reuniões de orientação, "ele contava histórias", debatíamos e concluíamos que, tanto lá como cá, a derrota dos movimentos grevistas havia sido fundamental para o avanço do projeto neoliberal.

Nos encontros e reuniões de orientação, Barsotti nos apresentava importantes análises, indicações bibliográficas e exposições conceituais no campo do marxismo, como toda orientação deve ser. Mas tínhamos também acesso ao amplo conhecimento musical que esse camarada possuía. Amante da música latino-americana, foi Paulo quem me apresentou ao tango de Carlos Gardel. Como não lembrar seu entusiasmo e sua paixão quando acompanhava as letras de "Por una cabeza" ou "Adiós muchachos". Da mesma forma, ao citar a sensibilidade poética de Violeta Parra ou de Mercedes Sosa, a importância de Victor Jara, dos grupos Quilapayún e Inti-Illimani, compositores e intérpretes que extraíram poesia da miséria cotidiana à qual estava submetido o proletariado chileno, transformando-a em canto universal de libertação dos trabalhadores. Quanto aos brasileiros, a lista era ainda maior, como não poderia deixar de ser. Resgato aqui apenas um dos integrantes dela: a paixão que nosso camarada tinha pelo samba, em especial por Adoniran Barbosa e sua síntese musical, que capturou os elementos da imigração italiana que se fundiam ao cotidiano da metrópole paulistana em construção. "Samba italiano", "Saudosa maloca", "Samba do Arnesto", além da clássica "Trem das onze", eram facilmente entoadas, "e nos seus olhos eram tanto brilho" e neles facilmente identificávamos o amor pela cidade e a admiração pelo compositor que tão bem a interpretou.

O repertório cultural de Barsotti não se resumia ao gosto pela música de origem popular. Certa vez, presenteou-me com um exemplar dos quadrinhos italianos *Ken Parker*, criado por Giancarlo Berardi e Ivo Milazzo. Parker é um personagem de *western* que vive na segunda metade do século XIX e percorre um sentido ético na vida que o aproxima de princípios socialistas. O camarada Paulo era capaz de gestos de grande delicadeza, carregados de conteúdos fundamentalmente humanos, fato que compreendi quando li o fascículo com o qual me presenteou[1].

Toda a proximidade resultante da relação de orientação me fez saber um pouco mais da história de Paulo Barsotti. Militante do PCB na década de 1970, quando participou do mandato do deputado comunista Antonio Resk na Assembleia Legislativa de São Paulo, editor executivo em São Paulo da editora Ensaio, membro do Instituto Astrojildo Pereira e do Instituto Caio Prado Jr., compôs o conselho editorial de várias revistas acadêmicas e políticas – inclusive esta *Margem Esquerda* –, Barsotti sempre esteve vinculado à luta do proletariado a partir de uma perspectiva marxista, através de sua solidariedade militante aos movimentos populares e partidos políticos do campo da esquerda brasileira. Publicou dezenas de artigos, organizou livros, participou de debates e seminários discutindo temas relacionados ao universo teórico-prático do marxismo e da teoria marxiana. Desenvolveu uma análise complexa e profícua sobre a questão do bonapartismo, inaugurada por Marx a partir da realidade histórica francesa, assim como o trato que Engels empresta ao tema com base na análise do caso prussiano, apresentada como tese de doutorado perante o Programa de Pós-Graduação em História Econômica da USP[2]. Além da Fundação Santo André, foi docente da Fundação Getulio Vargas por três décadas.

Tive a honra de poder contar com Paulo Barsotti em minhas bancas de mestrado e doutorado, na Unesp, campus de Marília. Resgato aqui uma saborosa passagem de sua arguição em minha banca de mestrado. Na epígrafe do trabalho, citei os versos da canção "Naquela mesa", em homenagem ao meu avô materno e ao meu pai, que haviam falecido recentemente. Acontece que atribuí a autoria da música a Paulo Vanzolini. Ao iniciar sua fala, a primeira observação de Barsotti foi sobre o equívoco que cometi, indicando que o compositor dos versos era, na verdade, Sérgio Bittencourt. Mas não parou por aí. Ao recitar os versos da canção, Paulo me explicou que a letra foi escrita por Bittencourt em homenagem a seu pai, Jacob do Bandolim. Autoria corrigida, a composição passou a fazer muito mais sentido!

---

[1] Trata-se de *Ken Parker: Os cervos & Um hálito de gelo* (São Paulo, Ensaio, 1994).

[2] Paulo Douglas Barsotti, *Marx: defensor do Estado? O Estado, a política e o bonapartismo no pensamento marxiano* (tese de doutorado em história econômica, São Paulo, FFLCH-USP, 2002).

Pude dividir mesas de debates em seminários, congressos acadêmicos, encontros militantes e tantas outras atividades com esse amigo e camarada, cuja memória e exemplo como intelectual marxista sempre estarão presentes em nossas práticas políticas, no cotidiano das lutas de classes pela construção da plena emancipação humana.

Para os mais próximos, a ausência de Paulo Barsotti deixará sempre o sentimento de que "naquela mesa tá faltando ele"...

Paulo Barsotti, presente! Sempre.

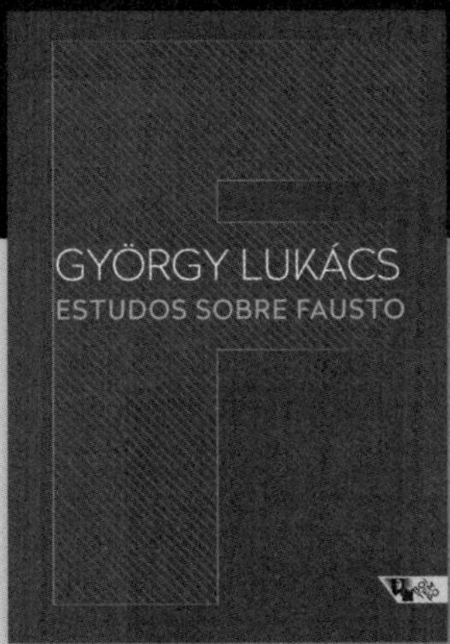

tradução: **Nélio Schneider**
revisão de tradução: **Ronaldo Vielmi Fortes**
apresentação: **Luiz Barros Montez**
orelha: **Jorge de Almeida**
capa: **Livia Viganó**
233 páginas

ESTUDOS SOBRE FAUSTO

GYÖRGY LUKÁCS

Um dos maiores filósofos marxistas do século XX se debruça sobre o ponto culminante da literatura humanista burguesa e da literatura alemã do século XIX.

A obra reúne o mais completo ensaio sobre Goethe e sua obra maior entre as diversas produções de Lukács sobre o tema, publicados em 1940. Segundo o professor Luiz Barros Montes, os textos encerram uma análise dos aspectos temáticos e formais da obra magna de Goethe "que reconhece sua característica 'incomensurável' não como um índice de incongruências formais e temáticas, mas como uma totalidade artística viva, na qual suas contradições e limites são analisados em perspectiva histórica como um todo orgânico". Na sua análise, Lukács assinala a configuração dramática da dialética indivíduo e sociedade como um dos grandes êxitos de Goethe, uma conquista poética sobredeterminada pelo desenvolvimento histórico alemão.

"Com ímpeto polêmico, Lukács buscou 'resgatar' Goethe das habituais leituras nacionalistas e irracionalistas que glorificavam 'de modo reacionário' o grande poeta alemão. Ao recuperar o conteúdo histórico e político das suas tragédias, Lukács mostra que, embora 'as contradições complexas sejam objetivamente insolúveis', as grandes obras literárias ainda podem iluminar os caminhos da necessária esperança."

– Jorge de Almeida

Contra o sionismo: retrato de uma doutrina colonial e racista

Breno Altman
São Paulo, Alameda, 2023. 100p

O jornalista antissionista de origem judaica Breno Altman se tornou, ao longo destes dez meses de genocídio em Gaza e limpeza étnica avançada na Cisjordânia[1], uma voz fundamental no Brasil. E, por essa razão, um símbolo da perseguição sionista no país. Suas palavras encontram expressão em seu livro *Contra o sionismo: retrato de uma doutrina colonial e racista*. Publicada pela editora Alameda, a obra reúne ao longo de cem páginas a transcrição de algumas das exposições feitas pelo autor no programa *20 Minutos*, do *Opera Mundi*. Ao final, é apresentada uma seleção de dez livros para quem deseja se aprofundar no tema.

O ponto de partida do livro é o início do genocídio em Gaza, em outubro de 2023. Um estudo publicado em julho na revista científica *The Lancet* estima que mais de 186 mil palestinos foram mortos direta ou indiretamente em função da atroz ofensiva israelense que agora já dura mais de trezentos dias[2]. Ou seja, cerca de 8% da população da estreita faixa. A maioria são crianças e mulheres. E esse número não para de aumentar. Nas palavras de Altman, trata-se provavelmente do "mais brutal e massivo ataque contra civis desde os bombardeios norte-americanos sobre Hanói, durante a Guerra do Vietnã, ou até mesmo desde o final da Segunda Guerra Mundial".

O primeiro movimento do livro busca por explicar a ação coordenada da resistência como uma contraofensiva a um regime brutal, racista e colonial: o sionismo, cujo projeto se consolidou na formação do Estado de Israel, no dia 15 de maio de 1948, em 78% do território histórico da Palestina, mediante limpeza étnica (a Nakba, catástrofe palestina). Assim, ele pontua que a resistência do oprimido em situação de ocupação e colonização como a que vive o povo palestino há 76 anos é considerada legítima pelo direito internacional, sob todos os meios.

O autor descreve como Israel transformou Gaza em um gueto, uma prisão a céu aberto, enclausurando cerca de 2,4 milhões de palestinos a partir de

[1] Gaza e Cisjordânia são territórios palestinos que foram ocupados militarmente por Israel em 1967.

[2] Rasha Khatib, Martin McKee e Salim Yusuf, "Counting the Dead in Gaza: Difficult But Essencial", *The Lancet*, v. 404, n. 10.449, 20 jul. 2024.

um bloqueio criminoso que já dura dezessete anos. Nesse período, realizou pelo menos quatro bombardeios massivos à estreita faixa, de apenas 365 quilômetros quadrados, antes do genocídio em curso. Uma situação "insuportável desde 2007, quando Israel apertou o torniquete colonial".

Apesar disso, a causa palestina vinha sendo deixada de lado no cenário internacional, enquanto avançava a normalização de Israel perante os regimes árabes. No início de outubro de 2023 a bola da vez era a Arábia Saudita. Prestes a firmar o acordo, o primeiro-ministro de Israel, Benjamin Netanyahu, estava à vontade na tentativa de enterrar de vez a causa palestina, enquanto a violência sionista se ampliava. É esse quadro que explica, como bem observa Breno Altman na obra, as ações do Hamas em 7 de outubro.

Ele apresenta esse momento, que pode ser denominado uma nova fase da Nakba contínua a partir de uma perspectiva histórica. Assim, debruça-se sobre a origem do sionismo em fins do século XIX, sua natureza racista e colonial, desconstrói os mitos em torno dessa doutrina e evidencia sua diferença em relação ao judaísmo. Tal distinção desmascara um dos elementos centrais da propaganda sionista, o argumento segundo o qual a condenação desse regime supremacista e as críticas ao Estado de Israel seriam manifestações antissemitas. A partir de autores marxistas, Breno Altman recupera as origens da discriminação contra judeus na Europa para desmistificar essa confusão deliberada.

Como prelúdio aos textos que são encontrados em *Contra o sionismo*, o autor faz questão de informar aos leitores que o livro não tem pretensões científicas ou acadêmicas. Não obstante o compromisso com a verdade, é uma obra de combate e engajamento, escrita por um "aliado da causa palestina e inimigo do sionismo". É por esta lente que deve ser lida, como um chamado à "luta da humanidade" – a libertação da Palestina do rio ao mar. – *Soraya Misleh*

Sociologia do Brasil

Alysson Leandro Mascaro
São Paulo, Boitempo, 2024. 156p

Este livro é tanto a mais importante sistematização dos pensamentos sociológicos sobre o Brasil quanto um dos mais destacados contributos já produzidos em toda a história do pensamento social brasileiro. Nele, Alysson Leandro Mascaro não apenas destrincha com maestria e originalidade os caminhos da sociologia acerca do Brasil, mas traz uma leitura própria em relação a tal temática, conjugando uma refinada compreensão marxista das formas sociais com uma aguçada e peculiar apreciação da formação social brasileira. A obra representa uma notável continuidade de questões já desenvolvidas por Mascaro em *Sociologia do direito* – inclusive incorporando diretamente alguns capítulos desse livro –, bem como um avanço a partir de aportes teóricos trazidos nos seus livros *Estado e forma política*, *Crise e golpe* e no artigo publicado na obra *Brasil sob escombros: desafios do governo Lula para reconstruir o país*.

O interesse mascariano a respeito da formação social brasileira já desponta em sua tese de doutorado que deu origem ao livro *Crítica da legalidade e do direito brasileiro*. *Sociologia do Brasil*, por sua vez, representa a culminância de tais reflexões, mediante o original exame de diversos pensadores sobre o Brasil – tais como Luiz Gama, Lélia Gonzalez, Clóvis Moura, Florestan Fernandes, Ruy Mauro Marini, Décio Saes, Jacob Gorender, Caio Prado Júnior, Darcy Ribeiro, Raymundo Faoro, Sérgio Buarque de Holanda, Alberto Guerreiro Ramos, Gilberto Freyre, dentre outros – e da apresentação de magistrais contribuições de Mascaro para o entendimento do Brasil, revelando toda a potência e o vigor intelectual do autor.

Na obra, dividida em sete capítulos, além de um prefácio do autor, Mascaro inicialmente aponta que a sociologia do Brasil espraia-se por três grandes caminhos: liberais, não liberais e críticos. Após tal panorama geral, no qual, inclusive, elucida a diferença conceitual entre a sociologia brasileira e a sociologia do Brasil, o autor, no segundo capítulo, traz erudita leitura concernente às interpretações pioneiras sobre o Brasil, consubstanciadas em liberalismos e não liberalismos pioneiros.

Nos capítulos terceiro a quinto, Mascaro trata de esmiuçar as interpretações do Brasil liberais, não liberais e críticas, anunciadas no primeiro capítulo. As interpretações liberais são aquelas que se pautam por uma perspectiva juspositivista, com foco no arcabouço normativo jurídico, nas instituições e nos padrões de legalidade. As interpretações não liberais são aquelas de cunho não juspositivista, enfeixando questões diversas, tais como poder, raça, costumes e vínculos de coesão. Já as interpretações críticas são as que alcançam a materialidade das relações sociais, por meio da cientificidade marxista.

O sexto capítulo deslinda a formação da sociedade brasileira com foco na temática da escravidão, demonstrando o quanto tal mazela deixou sua trágica marca no padrão de sociabilidade do Brasil, com inexoráveis repercussões até a atualidade. Além disso, Mascaro decifra com precisão o processo de constituição da subjetividade jurídica na formação social brasileira.

No sétimo capítulo da obra, brilha a crítica mascariana às formas sociais capitalistas em consonância com acurada compreensão dos processos econômicos, sociais, jurídicos e políticos contemporâneos que forjaram os dilemas e impasses do Brasil de hoje, demonstrando as limitações teóricas das leituras sociológicas que não colocam em xeque o capitalismo.

Sociologia do Brasil traz o estilo inconfundível de Mascaro, marcado pela elegância, pela sofisticação teórica e pela didática. Obra de um autor em sua plenitude intelectual – com uma vasta, robusta e consagrada produção, que passa por temas como filosofia do direito, marxismo e política –, trata-se de primoroso e indispensável instrumento de crítica e de luta na batalha das ideias de nosso tempo, com vistas à ruptura com as formas sociais capitalistas que exercem sua constrição não apenas na formação social brasileira, mas no mundo. – *Juliana Paula Magalhães*

Do realismo capitalista ao comunismo ácido: o legado de Mark Fischer

Antonio Galvão

São Paulo, Autonomia Literária, 2023. 184p

Os últimos anos aproximaram o público brasileiro do intelectual Mark Fisher. O encontro se mostrou produtivo e se estreitou com as publicações de *Realismo capitalista* e *Fantasmas da minha vida*. A recepção de Fisher no Brasil gerou debates, textos e, mais recentemente, a publicação desta que é uma das primeiras sistematizações das ideias do autor. Antônio nos oferece uma leitura que busca "organizar" o pensamento errático, fragmentário e incompleto desse autor num "todo", sem, no entanto, submetê-lo à rigidez teórica que totalizações produzem.

Fisher nasceu na Inglaterra em 1968, "no limiar do período fordista e do bem-estar social britânico, época de efervescência política e cultural" (p. 21). Toda essa ebulição social o levou a se aproximar da crítica cultural, em diálogo com diversos movimentos musicais, como o *punk*, a literatura *cyberpunk* e o advento da internet. O aceleracionismo também teve importante peso em sua trajetória. Assim, no final dos anos 1990, Fisher lançou seu *blog*, que lhe deu grande projeção, o *K-Punk*.

Ao se debruçar sobre as questões culturais, Fisher foi se aproximando cada vez mais da política, em especial do marxismo. Como esclarece Alysson Mascaro, no prefácio da obra, Galvão usa critérios para situar Fisher no marxismo althusseriano e no novo marxismo (Marcuse, Jameson, Žižek, Jodi Dean etc.). Isso permite aos leitores visualizar o caminho teórico do autor britânico, que foi do pós-modernismo até o marxismo (p. 27-30).

As influências de Fisher refletem suas fases teóricas: 1) *pós-moderno*, ligado à crítica cultural; 2) nomeação da ambiência cultural do capitalismo tardio como *realismo capitalista*; e 3) *hauntologia*, que visa à superação do realismo capitalista, o qual Fisher chama de *comunismo ácido* (p. 35-9). O resultado foi a confluência criadora de uma crítica da cultura que se mostrou capaz de fazer um diagnóstico de época, identificar brechas emancipatórias no presente e criar desejos revolucionários.

Fisher parte do diagnóstico segundo o qual vivemos numa atmosfera ideológica que fragmenta a consciência de classe e estreita o horizonte político. A analogia que explicita tal etos é que é mais fácil imaginar o fim do mundo que o fim do capitalismo. Isso significa tomar como pressuposto que a ideologia constitui as formas sociais, não só ocultando a realidade, mas criando o horizonte de experiência do possível. O capitalismo em sua fase neoliberal não é analisado só como sistema econômico, mas como um *novo espírito do capitalismo*, que metaboliza as aspirações emancipatórias produzindo uma sensação de que não é possível superá-lo (p. 78).

Há então três formas de bloqueio destacadas por Fisher: 1) *expectativa deflacionária*, "percepção de que as coisas não estão indo bem, mas [...] temos que aceitar a realidade" (p. 85); 2) *precorporação*, que se caracteriza por essa metabolização da cultura conforme os termos do realismo capitalista (p. 89); e 3) *interpassividade*, uma posição de inércia da agência (p. 91). Esses bloqueios produzem seus sintomas, que apontam brechas no capitalismo: a *crise ambiental* escancara o caráter destrutivo de nossa forma de vida; a *burocracia* de nosso dia a dia mostra a contradição da promessa de uma vida sem burocracia; e a *crise de saúde mental* nos revela que o discurso de culto da performance e do gozo se converteu em sofrimento depressivo (p. 99-103).

O contraponto dialético do realismo capitalista está na *hauntologia*, que Fischer desenvolve em diálogo com Derrida e o conceito freudiano de infamiliar (*unheimlich*). A estratégia de Fisher passa por analisar as brechas do realismo capitalista que geram uma sensação de que há algo fora de lugar (p. 153). Essa percepção difusa de infamiliaridade é importante para indicar as contradições da ideologia dominante. Por um lado, a hauntologia questiona a naturalidade do discurso capitalista e, por outro, busca identificar e potencializar desejos revolucionários (p. 160). Isso significa que a hauntologia tende a "obter empuxo libidinal, a fomentar desejos revolucionários", superando a perda de futuros que se impõe como inevitável.

Claro que esta nota é insuficiente para abordar todos os pontos que Antonio Galvão expõe. Trata-se de um convite à leitura. *Do realismo capitalista ao comunismo ácido* nos oferece não só uma sistematização da obra desse autor singular da contemporaneidade, mas um manual de uso do arsenal bélico que Fisher nos legou para que inventemos nossas armas para a criação de futuros que há muito perdemos. – *Heribaldo Maia*

Se eu devo morrer*

REFAAT ALAREER

Se eu devo morrer
Tu deves viver
Para contar minha história
Para vender meus trastes
Para comprar um pedaço de pano
E também umas cordas
(Uma pano branco com uma cauda
que alongaste)
De modo que uma criança, em
algum lugar de Gaza,
Que tenha o céu no centro de seu
olhar,
Esperando pelo pai que se foi num
arder de fogaréu,
Sem se despedir de ninguém,
Sequer de seu corpo,
Sequer de si mesmo,
Que ele veja este teu pássaro
voador bem no alto,
Que pense por um momento que lá
voa um anjo,
Trazendo o amor de volta.
Se eu devo morrer,
Que tal fado traga esperança,
Que se transforme numa história.

تومأ نأ دب ال ناك اذإ
تنأ شيعت نأ دب لاف
يتياكح يورتل
يئايشأ عيبتل
شامق ةعطق يرتشتو
اطويخو
(ليوط ليذبو ءاضيب نكتلف)
ةزغَّ نم ام ناكم يف لفط رصبي يك
ءامسلا يف قدِّ حي وهو
ةأجف لحر يذلا هابأ أرًظتنم
أدًحأ عدوي نأ نود
همحل ىتح لاو
هتاذ وأ
ةيقّرولا ةرئاطلا رصبي
تنأ امتعَنص يتلا ةيقرولا يترئاط
يلاعألا يف قلحّت
أكًلام كانه نأ ةظحلل نِّ ظيو
بحلا ديعي
تومأ نأ دب ال ناك اذإ
لمأاب يتومتٍ أيلف
ةياكح حبصيلف

---

* Tradução e nota: Flavio Aguiar

Refaat Alareer foi um escritor, poeta e professor palestino. Nascido em Gaza em 23 de setembro de 1979, estudou na Universidade de Gaza e no University College London, especializando-se em literatura inglesa. Tornou-se professor de literatura e de criação literária na Universidade Islâmica de Gaza. Foi um dos fundadores da organização We Are Not Numbers [Nós não somos números], que procurava inspirar a arte de contar histórias como uma forma de resistência contra a ocupação israelense.

Alareer tornou-se um crítico veemente da ocupação israelense, colaborando por diversas vezes na mídia estadunidense e inglesa. Recebia frementemente ameaças de morte pelo telefone. Morreu durante um bombardeio israelense no norte de Gaza, em 6 de dezembro de 2023. Há suspeitas de que foi alvejado intencionalmente, segundo depoimentos de testemunhas oculares e de também de familiares. No ataque morreram seu irmão, sua irmã e quatro de seus sobrinhos, que se encontravam no mesmo apartamento.

Casado, Alareer deixou esposa e seis filhos.

“Se eu devo morrer” foi o último poema que escreveu.

Yazan Khalili: narrativas visuais como testemunho e resistência

FRANCISCO KLINGER CARVALHO

Yazan Khalili é um artista multimidiático palestino. Nascido em 1981, cresceu em um contexto de intensa turbulência política, que marcou profundamente sua produção artística e os caminhos profissionais que escolheu para fortalecer seu ativismo. Sua obra articula questões relacionadas a memória, identidade e o impacto do conflito na paisagem física e social. Combinando diferentes modulações técnicas e linguagens artísticas – tais como fotografia, arquitetura, instalação, cinema e escrita –, sua arte busca transfigurar uma realidade insustentável. Khalili é também uma figura importante como educador, ativista, formador e gestor. Foi diretor do Khalil Sakakini Cultural Center, em Ramala, onde organizou oficinas transversais sobre Marx e Benjamin. É cofundador da AlHara, uma plataforma de rádio on-line, e do coletivo The Question of Funding, que vem travando um importante debate sobre "economia poética" e sobre as relações de poder no mundo da arte.

Nesta edição, trazemos um panorama de quatro projetos do artista: "The Aliens" (2012-15), "On Love and Other Landscapes" (2011), "Regarding Distance" (2010), "City of Posters" (2007) e "The Beautiful Political Landscape" (2012). São séries fotográficas que capturam paisagens em transformação, verdadeiros documentos da ocupação israelense. E vão além: deflagram cenas de desolação sob a força da presença militar que se mescla ao cotidiano dos palestinos, tão marcado pela resiliência. Tencionando a intersecção entre fotografia, arquitetura e política, sua arte traz à tona o limiar entre presença e ausência, entre o que pode ainda ser visto e o que vai se tornando invisível.